COLLECTION LE FRANÇAIS DANS LE MONDE/B.E.L.C.
dirigée par André Reboullet

Simonne Lieutaud
chargée d'études
au B.E.L.C.

Jean-Claude Beacco
chargé d'études
au B.E.L.C.

Mœurs et mythes

Lecture des civilisations et documents authentiques écrits

HACHETTE ET LAROUSSE

ISBN 2.01.007632. X

TABLE DES MATIÈRES

Certains des textes réunis ici ont déjà fait l'objet d'une publication. Ils sont alors reproduits ici avec des modifications partielles ou importantes :

— F. Debyser : Lecture des civilisations, première publication dans Französisch Heute, 2-3, juillet-août 1975.
— C. Girod, S. Lieutaud : La publicité et les vieux, dans *Être vieux en France,* dossier B.E.L.C., 1978.
— J.-C. Beacco, S. Lieutaud : « Annonces classées, 1 : L'immobilier », *Le Français dans le Monde,* octobre 1977, n° 132.
— J.-C. Beacco, S. Lieutaud : « Annonces classées, 4 : Libération », *Le Français dans le Monde,* avril 1978, n° 136.

La conception d'ensemble de ce recueil et les textes non signés sont de J.-C. Beacco et S. Lieutaud. Les auteurs tiennent à remercier E. Knox, A. Reboullet, F. Debyser et leurs collègues du B.E.L.C. qui leur ont fait part de leurs remarques critiques et ont pris la peine de relire leur manuscrit.

PRÉFACE

En pédagogie, il y a deux types d'articles :

— les usuels de référence, qui thésaurisent les connaissances, grammaires, dictionnaires, encyclopédies, traités, sommes et sommaires, aide-mémoire, résumés, etc. ; le savoir y est préconstruit, institué, ordonné ;

— les méthodes qui aident l'apprenant à construire *son* savoir, *sa* compétence.

Entre « ce qu'il suffit de savoir », « tout ce qu'il faut savoir » et la « totalité de ce que l'on sait », il n'y a de différence que quantitative : les deux premières formules sont fonctionnelles et demandent à être précisées : « ce que X doit savoir pour... » ; la troisième vise à l'exhaustivité.

Sans déprécier ces usuels, qui sont indispensables parce que le savoir ne s'invente pas par génération spontanée, les méthodes sont plus précisément le domaine de la pédagogie, dont la tâche est plus la construction de la compétence et du savoir des apprenants que l'inventaire des connaissances qu'ils peuvent ou qu'ils doivent acquérir. Par méthodes, nous entendons donc des démarches instituantes de découverte, d'appropriation et d'organisation du savoir et non pas la mise en tranches d'un savoir institué préalable, à des fins de vulgarisation ; ou pour parler plus simplement, disons que par méthodes nous entendons méthodes actives.

C'est en ce sens que la théorisation et les propositions de travail qui suivent se veulent résolument pédagogiques et qu'il faut lire le titre du chapitre de J.-C. Beacco « La construction du savoir culturel », titre qui eût fort bien convenu à l'ensemble de l'ouvrage.

Les fiches pédagogiques proposées sont toutes fondées sur l'idée que des documents authentiques bruts ou semi-traités tels qu'une annonce immobilière ou matrimoniale, un faire-part, une page de l'annuaire du téléphone, une statistique — et l'on pourrait allonger la liste indéfiniment (un menu, un catalogue de ventes par correspondance, un curriculum vitae, etc.) — sont des indices culturels beaucoup plus riches qu'on ne le croit et qu'ils permettent à l'apprenant de construire sa compétence en civilisation française.

On prendra garde que, dans ces dossiers, ce sont les démarches de travail, les méthodes et les pratiques suggérées qui comptent plus que les résultats : il n'est pas question de placer l'apprenant devant une tâche impossible ou que seul le spécialiste pourrait mener à bien, comme le paléontologue qui reconstitue un dinosaure à partir d'un morceau de vertèbre ou l'historien qui retrouve toute la société française du XVIIe siècle dans *Le Chat botté.* Pas plus qu'on ne propose d'analyse globalisante comme point de départ à l'étudiant on n'attendra de lui qu'il élabore lui-même une telle analyse à partir de quelques données. La démarche proposée est beaucoup plus celle d'une enquête, où l'enseignant aide l'apprenant à s'orienter à travers des indices et l'amène à poser aux documents les questions, naïves ou fines, grâce auxquelles il obtiendra des réponses intelligibles et dynamisantes pour lui, c'est-à-dire éclairantes, porteuses d'informations signifiantes et débouchant sur de nouvelles interrogations.

Inutile de préciser que, dans cette enquête, c'est l'apprenant qui a l'essentiel de l'initiative, et que l'enseignant reste un conseiller méthodologique qui se limite à fournir à l'étudiant des outils et des techniques telles que les procédures de l'analyse de contenu, de l'analyse de discours ou de la sémiotique. Faute de respecter cette règle du jeu, la relation pédagogique comme la relation au savoir se figeront à nouveau dans le modèle classique de transmission des connaissances ou, pis encore, dans celui plus burlesque de la démonstration de l'escamoteur devant les badauds : on y verrait un maître ès-civilisation, Sherlock Holmes de l'anthropologie appliquée, dévoiler les mystères de la société française devant un apprenant ébahi et admiratif mais qui, tel le Docteur Watson, ne comprendrait pas grand-chose et ne ferait jamais de progrès.

Francis DEBYSER

QUELQUES RÉFLEXIONS

LECTURE DES CIVILISATIONS

Il n'est pas nécessaire de revenir encore une fois sur l'historique des concepts de culture ou de civilisation qui répondent le mieux aux attentes des étudiants et des professeurs pour qui la connaissance et la compréhension de la France contemporaine est un objet d'étude légitime et motivant[1] ; on admettra en effet ici que les propositions de l'anthropologie culturelle semblent, mieux que les définitions de la tradition humaniste et littéraire, rendre compte de l'unité et de la variété des faits, des objets, des relations et des représentations susceptibles d'intéresser un public curieux des réalités vivantes du pays dont il étudie la langue.

Rappelons quelques-unes de ces définitions,

— celle de Kluckhohn :

« Par culture, l'anthropologie désigne l'ensemble des modes de vie d'un peuple, l'héritage social que l'individu acquiert de son groupe. En d'autres mots, la culture est cette partie de son milieu que l'homme a lui-même créée »[2] ;

— celle de Sapir :

« La conception de la culture que nous cherchons à saisir se propose de comprendre, sous un seul mot, l'ensemble des attitudes, des visions du monde et des traits spécifiques de civilisation qui confèrent à un peuple particulier sa place originale dans l'univers »[3] ;

— ou encore celle de Herskovits :

« On s'accorde généralement à dire que la culture... se manifeste dans des institutions, des formes de pensée et des objets matériels »[4].

---

1 Ce débat et cet historique sont abondamment traités dans *l'Enseignement de la Civilisation française,* Hachette, 1973.
2 Clyde Kluckhohn : *Initiation à l'anthropologie,* Bruxelles, C. Dessart, 1968, p. 25.
3 Edward Sapir : *Anthropologie,* Éditions de Minuit, 1967, tome 2, p. 137.
4 M.J. Herskovits : *Les Bases de l'anthropologie culturelle,* Payot, 1967.

Si ces définitions sont convergentes et répondent bien à ce que notre intuition nous suggère comme étant des contenus, des faits ou des traits de civilisation, elles embarrassent toutefois l'enseignant par la richesse même, voire l'accumulation hétéroclite des objets qu'elles proposent à l'étude. Comment mettre au point une didactique d'approche cohérente d'un ensemble aussi disparate que l'*héritage,* la *tradition,* les *institutions,* les *mœurs,* les *usages,* les *modes de vie,* les *habitudes,* les *attitudes,* la *vie quotidienne,* les *comportements,* les *modes de pensée,* les *mentalités,* les *stéréotypes,* les *visions du monde,* les *représentations collectives,* les *mythes* et *mythologies,* les *idéologies,* les *productions intellectuelles* et *artistiques,* les *formes,* les *objets,* la *technologie* d'un peuple ?

En d'autres termes, la solution dite anthropologique du problème de l'enseignement de la civilisation n'est-elle pas une pure utopie, dans la mesure où le champ que se donne l'anthropologie, au lieu de délimiter et de circonscrire les réalités culturelles, les accueille en vrac dans leur complexité et leur diversité au point que nous ne sommes pas plus avancés qu'avant pour répondre à la question : que choisir et comment présenter ce que nous choisissons comme significatif de la France contemporaine : les institutions de la Ve République, la vie syndicale en France, l'*Almanach Vermot,* le Tour de France, les petites annonces du *Chasseur français,* le tiercé, la publicité, la presse et comment ordonner ce matériel dans une présentation ?

Nous proposerons ici, d'une part, des principes qui nous aideront quelque peu à ordonner la matière à étudier et à mieux concevoir la manière de l'approcher et, d'autre part, des méthodes de travail qui, en fonction des approches retenues, nous semblent les plus aptes à aider l'étudiant à faire son chemin lui-même dans la découverte de la France et des Français.

Principes d'approche

On admettra que toute question de civilisation (ex. : le sport, les jeunes, l'école, le travail, la famille en France, etc.) relève de trois types d'approche : l'approche sociologique, l'approche anthropologique et l'approche sémiologique.

1 *L'approche sociologique* traitera la question étudiée comme un phénomène social et dans ses relations à l'ensemble de la société française. Ainsi, pour étudier par exemple le sport en France, on cherchera à connaître les données statistiques (sports pratiqués, nombre de clubs, de fédérations, de licenciés), la place du sport dans l'institution scolaire, la pratique du sport par les différentes classes sociales et catégories professionnelles, le développement des équipements collectifs sportifs, le rôle et la politique des pouvoirs publics, les implications économiques, etc.

L'approche sociologique nous donne, d'une part les informations de base, à savoir les statistiques et les données sociales, économiques et politiques, et d'autre part la dimension générale d'un problème, c'est-à-dire ses relations, ses points d'ancrage avec l'ensemble du système social français. C'est d'ailleurs pour cela que n'importe quel sujet de civilisation est un moyen d'entrer de plain-pied dans la connaissance de la France contemporaine, ce qui a des conséquences pédagogiques immédiates : deux ou trois questions bien traitées comme « phénomènes » représentatifs risquent d'être de meilleures clés, pour la connaissance de la France, qu'un panorama complet à prétentions exhaustives.

Les documents utilisables dans une approche sociologique sont soit les chiffres, les études et les enquêtes réalisées sur le sujet étudié, soit les indications et les informations que l'on peut recueillir directement dans la presse ou auprès des services publics.

Ajoutons enfin, que seule l'approche sociologique permet de fonder la comparaison ou, si l'on préfère, l'étude contrastive sur autre chose que des hypothèses, des idées toutes faites ou des impressions. Ainsi avant de se demander si les Français sont plus ou moins « sportifs » que les Anglais, les Allemands ou les Italiens, on cherchera à savoir le nombre d'heures de sport qui sont prévues (et appliquées réellement) dans le programme scolaire des différents pays, le nombre de personnes pratiquant tel ou tel sport, l'importance des équipements collectifs, etc.

En conclusion, l'approche sociologique ne couvre pas tout le champ de l'enseignement de la civilisation, mais nous donne les données de base sans lesquelles aucun travail n'est possible.

2 *L'approche anthropologique,* plus centrée sur les hommes que sur les groupes et sur le concret que sur l'abstraction, permettra d'aborder les questions de civilisation sous l'angle des réalités quotidiennes, de la vie de tous les jours, des habitudes et des attitudes des Français : c'est la perspective des manuels ou des dossiers dont le thème ou le titre sont « Comment vivent les Français ? » ; pour continuer l'exemple du sport, ce sera la place du sport dans la vie des Français, les moments et les lieux où ils pratiquent des sports, ou leurs réactions, leurs goûts, leurs préférences, leurs idées toutes faites et, bien sûr, leur chauvinisme ou, en tout cas, la façon dont ce chauvinisme se manifeste. C'est de ce point de vue que l'on s'intéresse à la fois aux Parisiens qui pratiquent la course à pied (le cross) le dimanche matin au bois de Boulogne ou au parc de Saint-Cloud pour se maintenir « en forme », et aux grands événements rituels, tournoi des cinq nations, coupe de France de football, combats de boxe prestigieux, Tour de France cycliste, etc., et à la façon dont tous ces événements sont perçus et vécus par les Français.

Moins abstraite, nous l'avons dit, que l'approche sociologique, l'approche anthropologique utilisera des documents plus immédiats et par conséquent plus vivants (plus motivants également pour les élèves) ; pour le sport, à côté de tel article du *Monde* et des enquêtes IFOP et SOFRES réalisées pour le ministère de la Jeunesse et des Sports, retenus pour l'éclairage sociologique, on cherchera des documents « anthropologiques » tels qu'une page de *L'Équipe,* un article dithyrambique d'un illustré à grand tirage sur Poulidor, des enquêtes directes et surtout des témoignages instantanés et des documents bruts. La recherche anthropologique, même si elle ne se prive nullement des interprétations et des analyses de la sociologie, travaille toujours sur le terrain et à partir de matériaux immédiats plutôt que d'informations élaborées et traitées ; du point de vue d'un anthropologue, l'examen de trois ou quatre menus de restaurants lui en apprendra plus sur les habitudes culinaires et nutritionnelles des Français que les statistiques sur la consommation du bœuf ou des volailles. L'apparition de plus en plus fréquente de documents bruts dans les manuels ou dossiers de civilisation française montre que les enseignants commencent à partager ce point de vue : le cours « sociologique » de civilisation fait place à une initiation à l'anthropologie par les méthodes directes.

Par ailleurs, les documents et témoignages collectés et étudiés dans le cadre d'une approche anthropologique constituent une invite permanente à l'étude contrastive et à la comparaison avec les réalités correspondantes dans la culture de l'étudiant par l'examen de matériaux, de documents et de témoignages équivalents ou comparables.

3 *L'approche sémiologique* aidera à reconnaître, à interpréter, à comprendre et à mettre en rapport les significations, les sens, les connotations culturelles véhiculées par les faits et documents de civilisation. Il convient ici de rappeler brièvement la théorie de la connotation, devenue théorie du mythe avec Roland Barthes dans l'essai : *Le Mythe aujourd'hui*[5]. Dans la perspective sémiologique, la civilisation n'est plus considérée comme un ensemble d'objets ou d'institutions, mais comme un langage, composé de signes. Ces signes sont les connotations culturelles, les représentations collectives, ou encore les mythes : ces signes ont des signifiés qui se situent à un autre plan que les signifiés primaires des signes linguistiques (plan de la dénotation).

Un exemple, déjà utilisé, aidera à faire comprendre ce qu'est un signe culturel par rapport à un signe linguistique, le « signe » ou le « mythe » Henri IV :

a) Lors de sa campagne présidentielle, Georges Pompidou, interrogé par un hebdomadaire à grand tirage qui soutenait sa candidature, sur le personnage de l'histoire de France auquel il souhaitait ressembler répondit « Henri IV ». Dans cette circonstance, ce n'était pas le signifié primaire du terme « Henri IV » (roi de France de 1533 à 1610, etc.) qui était utilisé mais évidemment le signifié secondaire, à savoir les connotations culturelles liées dans l'imaginaire des Français de 1969 à la mythologie d'Henri IV, composée des éléments suivants :

— la réconciliation des Français déchirés par les guerres de religion : on doit se souvenir de la propagande de la majorité d'alors qui brandissait systématiquement comme slogan électoral l'épouvantail de la guerre civile et le souvenir de la « grande peur » de 68 ;

— le réalisme et le souci de la paix, contre-argument électoral de l'époque, utilisé pour rallier des électeurs centristes auxquels la politique de grandeur et de prestige international du général de Gaulle avait fini par sembler coûteuse, sinon aventureuse ;

---

5 Pour une information rapide, voir Roland Barthes, « Le mythe aujourd'hui » in *Mythologies* pp. 191-246, Paris, 1957, et en particulier le chapitre « Le mythe comme système sémiologique ». Voir également la note « Connotation » à la fin de *l'Enseignement de la civilisation française :* pp. 262-263, Hachette, collection Le Français dans le Monde, Paris, 1973, et l'article de Daniel Coste : « Hypothèses méthodologiques pour le Niveau 2 » dans le même ouvrage. L'intérêt porté par les méthodologues à l'approche sémiologique en vue de l'étude de la civilisation n'est pas nouveau : cf. M. Beaujour et J. Ehrmann : « A Semiotic Approach to Culture », in *Foreign Language Annals,* décembre 1967.

— l'humanité, symbolisée par le mot d'Henri IV sur la « poule au pot », et contrastant avec une « certaine image de la France » gaullienne, passant avant le confort et la prospérité individuelle des Français.

Bien entendu, toutes ces composantes de signification sont transmises dans les mythologies nationales que sont les manuels d'histoire de l'école primaire.

b) Nous retrouvons le signe « Henri IV », entre autres, dans une publicité des magasins Carrefour où l'on voit un personnage à fraise, identifiable au Vert-Galant par son costume, son panache blanc, sa barbe et son air de bon-vivant, choisir un poulet à l'étalage. Il est tout à fait significatif de constater que nulle part dans la réclame le nom du roi, ni son mot historique sur la poule au pot ne sont cités, ce qui prouve que les référents culturels sont suffisamment ancrés dans la mémoire des Français pour qu'il soit inutile de les rappeler ou de les nommer. Dans cette publicité, le signe primaire « Henri IV » est reconnu par le lecteur, ce qui déclenche en lui les signifiés secondaires « poule au pot », « tradition française », « bonne chère », voulus par l'auteur de la réclame pour agir contre les préventions éventuelles des consommateurs : magasins à grande surface = chaînes commerciales internationales (le bleu-blanc-rouge est présent à trois endroits dans la réclame, le nom du roi, ni son mot historique sur la poule industriel aux hormones), enfin poulet destiné à une bonne table familiale (poule au pot) et non à des cantines collectives ou à des restaurants de qualité médiocre. Le signe culturel « Henri IV » est utilisé pour lutter contre les résistances des Français qui persistent à acheter certains produits, parmi lesquels les viandes et les volailles, de préférence chez les petits commerçants, parce qu'ils pensent y trouver une meilleure qualité.

Nous avons développé ces deux exemples parce qu'ils nous permettaient d'illustrer la notion de connotation, et peut-être de la faire comprendre mieux que par des explications théoriques. Ajoutons encore deux remarques :

— le *signe culturel* est *supposé compris* par tous les membres de la communauté dans laquelle il est employé. Dans les exemples cités, il est en effet nécessaire, pour que le but visé soit atteint, c'est-à-dire pour que le message passe et que l'on vote Pompidou ou que l'on achète des poulets chez Carrefour ;

a) que tout le monde connaisse ou reconnaisse Henri IV ;

b) que tout le monde soit d'accord sur les connotations.

On remarquera en passant que la publicité des produits bon marché ou destinés à une consommation de masse est souvent riche en signes culturels nationaux car il est évident que, lorsque l'on vise un public de masse, on ne recourra pas à des messages qu'obscurciraient des connotations réservées à un public limité. On pourra faire une allusion à Stendhal pour vendre un produit de luxe, c'est La Fontaine qui illustrera les publicités pour l'eau minérale, ou la lessive.

— Le *signe culturel est non seulement connu de tous, mais il est accepté par tous* et n'est pas contestable. Contester en effet l'article sur G. Pompidou, ou la réclame pour les poulets, ne consistait pas à dire « Henri IV n'aimait pas les bons poulets » mais à opposer des réfutations telles que « Pompidou n'est pas Henri IV » ou encore « Pompidou n'est pas un candidat de réconciliation nationale » ou encore « Henri IV n'aurait pas acheté ses poulets chez Carrefour » ou « les poulets de Carrefour ne sont pas bons ». Le signe culturel Henri IV, sa valeur sémiologique ou encore son signifié secondaire ont une assise aussi solide que des signes ou des signifiés linguistiques primaires. On est d'accord sur la connotation « poule au pot » comme sur les signifiés de « blanc », « table » ou « cheval » (nier une proposition comme « ce mur est blanc » se fera en disant « ce mur n'est pas blanc » et non en débattant sur l'interprétation du sens de blanc).

L'approche sémiologique en civilisation va donc permettre d'identifier et d'analyser signes culturels, faisceaux de connotations, réseaux de significations. La méthode que nous avons utilisée pour décoder le signe « Henri IV » est applicable à d'autres mythes ou signes : « Brigitte Bardot », « Poulidor », « le *France* », « le tiercé », etc. Ainsi l'approche sémiologique adaptée au monde du sport aura pour effet de faire comprendre le mythe ou les mythes du champion chez les Français, et peut-être pourquoi on préfère le second Poulidor aux premiers Merckx ou même Anquetil ; quittant même le domaine du sport, on pourra se demander si le culte du « merveilleux, malheureux et bien-aimé Poulidor » et la mythologie de l'éternel second ne s'expliquent pas par une projection des Français qui s'identifient assez bien, internationalement, à un héros malchanceux ayant sa place dans le « peloton de tête », rarement premier mais méritant de l'être, et en tous cas meilleur que les premiers. On remarquera également que ce mythe est sanctionné officiellement ; ayant moins d'appuis mondains ou politiques dans la classe dirigeante que Bobet ou Anquetil, Poulidor est pourtant mieux décoré qu'eux.

L'approche sémiologique offre également des perspectives nouvelles aux études contrastives. On a dit (A. Grosser) que comparer les civilisations c'est souvent se rendre compte que ce qui a l'air différent est identique et que ce qui a l'air pareil est différent. La sémiologie comparée aura pour objet la comparaison de signes et de connotations culturelles. Des signes équivalents peuvent avoir des signifiés divergents, et des signes différents peuvent avoir des signifiés identiques. La sémiologie contrastive ou différentielle permettra une lecture de sens qui évitera les interférences (faux-sens et contresens) que risquent de provoquer les analogies et les faux amis culturels. La sémiologie différentielle permettra même de comprendre comment des messages identiques sont lus différemment. Tel est le cas de la publicité américaine pour les cigarettes, pendant les années 73 et 74, et en particulier des « Marlboro ». Les images évoquant l'Ouest américain et ses pionniers suggéraient au consommateur des U.S.A. un produit peu nocif associé à un mode de vie et à une nature non pollués : la peur du cancer, renforcée par la mention obligatoire sur les publicités américaines de la toxicité du produit et sa teneur en nicotine et en goudron, la sensibilité du public américain à la grande peur écologique de la pollution constituaient les résistances que cette campagne visait à atténuer. Or ces mêmes images présentées à un public français[6]

---

6 Il est significatif que des sémiologues français s'y soient trompés ou en tout cas n'aient su lire que le message « français ». Ainsi Françoise Enel in *L'Affiche, fonctions, langages, rhétorique,* Paris, Mame, 1971, p. 32, décode ces réclames pour le message : « Pour être aussi viril qu'un cow-boy, fumez Marlboro ».

étaient déchiffrées de façon différente même par des spécialistes de la publicité qui y lisaient à peu près le message suivant : « même des hommes virils comme les rudes héros de westerns fument des Marlboro (c'est-à-dire des cigarettes blondes à bout filtre) ; ne croyez pas être efféminés en les préférant aux Caporal, aux Gauloises bleues ou aux Gitanes ». Les résistances que réduit ce message touchent aux idées reçues en France sur le tabac blond, les cigarettes de « femmes » et les bouts filtre.

Nous nous sommes davantage étendu sur l'approche sémiologique, parce que cette dernière, plus récente et plus proche des méthodes de la linguistique est moins connue, et parce que l'interprétation et la comparaison sémiologiques nous semblent devoir couronner toute étude d'une civilisation étrangère contemporaine. L'analyse sémiologique, étant en fait une lecture de sens appliquée à des faits de civilisation et à des mythes modernes, nous propose une méthodologie de la compréhension culturelle qui nous manquait.

Bien sûr, malgré l'intérêt que semble présenter la sémiologie, il vaut mieux y chercher les méthodes d'une attitude interprétative qu'une « clé des significations culturelles », et c'est en faveur même du recours à cette démarche que nous soulignerons les questions que l'on doit se poser quant à la validité de ce type d'approche, d'autant que notre exposé risque d'avoir simplifié quelque peu la problématique.

Tout d'abord, nous avons forcé les différences entre les approches : il est évident, par exemple, que la frontière entre la sociologie et l'anthropologie est particulièrement floue et que nous ne saurions résoudre ici ce point de classification des sciences humaines ; il est également clair que les attitudes, les opinions et les comportements que nous avons évoqués sous l'étiquette anthropologique intéressent directement les sociologues : ce sont même eux qui ont mis au point les instruments, tels que les procédures d'enquête et les questionnaires, nécessaires pour recueillir ces informations. L'interprétation des mythes était déjà au centre des préoccupations de l'anthropologie bien avant que la sémiologie n'existât. Enfin, il est difficile de réserver à la seule sémiologie le souci d'élucider les significations et l'on imagine mal ce que seraient une sociologie ou une anthropologie qui ne se poseraient ni des problèmes de sens ni des problèmes d'interprétation.

D'autre part, ni l'anthropologie ni la sémiologie ne sont à l'abri d'une critique dont il convient de mesurer la portée, à savoir qu'elles sont autant des formes de l'idéologie dominante que des instruments permettant de l'analyser. D'autres feront une question de principe, précisément idéologique de cette objection à laquelle sont exposées toutes les sciences humaines : ce n'est pas notre propos ; mais il faut tout de même la prendre en compte, ne serait-ce que pour se demander si les analyses et les interprétations des faits de civilisation que peuvent proposer ces disciplines ne sont pas biaisées lorsque ces dernières sont des produits culturels des civilisations qu'elles étudient.

Ainsi l'on peut se demander si le peu de cas que l'anthropologie culturelle semble faire de l'histoire ne tient pas au fait que l'anthropologie a connu son plus grand essor aux États-Unis en vue de l'étude des sociétés amérindiennes, australiennes ou mélanésiennes, c'est-à-dire dans une société valorisant peu sa propre histoire en vue de l'étude de sociétés sans histoire (documentée), et ce n'est peut-être pas non plus un hasard que ce soit un anthropologue français tel que C. Lévi-Strauss qui nous rappelle que « tout est histoire », y compris tel menu fait de la vie quotidienne comme l'apéritif : « Comment apprécier justement le rôle — si surprenant pour les étrangers — de l'apéritif dans la vie sociale française si l'on ignore la valeur traditionnelle de prestige prêtée, dès le Moyen Age, aux vins cuits et épicés ? »[7]. L'avertissement est important : l'étude de la civilisation française contemporaine n'est certes pas celle de l'histoire de la civilisation française (encore que les examens dits « de la Sorbonne » continuent à tester la connaissance que des Japonais ou des Iraniens ont de la civilisation française en leur demandant ce qu'ils savent de la Restauration ou de l'art gothique), mais elle ne doit pas être pour autant une approche antihistorique ou coupée de l'histoire.

Plus encore que l'anthropologie, l'étude sémiologique des connotations et des signes culturels risque d'être compromise avec l'idéologie dominante, si l'on adopte l'analyse d'Henri Lefèbvre des « phénomènes langagiers » d'une société et d'une époque qui valorisent à l'excès le formalisme, poussent à la consommation voire au gaspillage des signes, à l'usure des signifiants et à l'inflation des métalangages[8]. On peut en effet se poser deux questions parallèles, l'une, théorique, portant sur la légitimité de la démarche sémiologique, l'autre, plus concrètement liée à la pédagogie, sur le statut et l'interprétabilité des analyses « sémiologisantes » que multiplient les media.

La première interrogation, d'ordre épistémologique, est la suivante : si l'on peut reprocher à toute science humaine de n'être en quelque sorte qu'un métalangage de l'humain et du social, on peut également dire qu'il s'agit là de la rançon inévitable de l'ancrage entre signifiant et signifié lorsque le social et l'humain sont des deux côtés du signe. En revanche, la sémiologie semble colporter une sorte de condamnation au métalangage « à perpétuité », qui l'amène à se prendre elle-même comme objet à l'infini ; cela, comme le soupçonnait Henri Lefèbvre, ne déclenche-t-il pas, au lieu d'un ancrage sur le référent, un procédé récursif sans fin de décrochage impliquant l'évanescence progressive, mais inéluctable du référentiel primaire ? On peut prendre un exemple : lorsque la mode devient méta-mode, par exemple, avec le style rétro, et que le discours que l'on peut trouver sur cette mode, et, d'une manière générale le « discours féminin » d'un hebdomadaire comme *Elle* devient explicitement un discours sémiologique, ne s'ensuit-il pas qu'à leur tour, en 1975, les discours de Barthes[9] ou de C. Chabrol[10] ne peuvent plus être que des méta-méta-méta-discours, c'est-à-dire des analyses au quatrième degré ? Et que dire de ce paragraphe en folie ?

Pour les pédagogues, le même problème se pose : l'enseignant qui s'aventure dans la pédagogie de la connotation rencontre de plus en plus souvent des textes dont il se demande où il doit les situer : analyses et/ou objets d'analyse ? Qu'il s'agisse de Brigitte

---

7 C. Lévi-Strauss : *Anthropologie structurale*, Plon, 1958, p.17.
8 Henri Lefèbvre : *La vie quotidienne dans le monde moderne*, Paris, Gallimard, 1968, pp. 210-266.
9 Roland Barthes : *Système de la mode*, Seuil, 1967.
10 Claude Chabrol : *Le Récit féminin*, Mouton, 1971.

Bardot, de Poulidor, du fils de Sheila ou de la dernière Renault, non seulement *Le Nouvel Observateur* et *L'Express* ont pris la relève de Barthes et de Sauvy, mais même des hebdomadaires à grand tirage et à public de « masse » tels que *Paris-Match* ou *Elle* comportent désormais des textes « sémiologisants » ou « sociologisants » ; la lecture de signification est désormais quotidiennement médiatisée par des textes de consommation courante (par exemple : les articles de Jean Cau dans *Paris-Match* sur le Tour de France) ; ces textes rapprochent-ils ou en définitive ne s'éloignent-ils pas du référent culturel recherché ? et si on les prend eux-mêmes comme objet d'étude ou tout au moins de critique, quels seront les instruments épistémologiques de cette analyse ?

Si la réflexion sur la connotation, concept extrapolé de façon quelque peu métaphorique hors de la sémiologie linguistique, a bien permis de fonder avec une certaine élégance la notion de signe culturel, il reste à vérifier, si l'on veut dépasser une symbolique approximative et largement subjective, que ces signes fonctionnent bien comme un langage ; pour l'instant, les connotations ne semblent guère que les « lexèmes » d'un langage dont la grammaire reste cachée et dont la sémiologie ne peut prétendre à elle seule nous donner la clé.

C'est pourquoi les trois démarches que nous avons évoquées nous semblent indispensables, complémentaires et s'intégrer dans une approche interdisciplinaire de la civilisation ; la *sémiologie* pure risque en effet de n'être qu'un jeu séduisant d'interprétations difficilement contrôlables ; l'*anthropologie* sans interprétation sémiologique se réduira à une collecte ethnographique ; enfin une *sociologie* qui serait à la fois coupée du concret et du sens ne mériterait plus le nom de sociologie. Le reste, c'est-à-dire dans une perspective d'enseignement, les problèmes didactiques, relève moins des principes que des méthodes.

Méthodes de travail et pédagogie

Les truismes sont souvent utiles en pédagogie. Rappelons tout d'abord que ce n'est pas par hasard que nous avons intitulé cet exposé « lecture » et non « enseignement » de la civilisation. Si comprendre la civilisation dont on étudie la langue est le but de certains étudiants, les problèmes méthodologiques de cette pédagogie consistent moins à savoir comment les professeurs ou les manuels vont présenter, exposer cette civilisation que comment les élèves vont l'étudier et parvenir à cette lecture de sens qu'est la compréhension culturelle. La didactique de l'étude de la civilisation est une affaire de méthodes actives d'approche par les étudiants et non de techniques expositives magistrales. Ce n'est que lorsqu'on aura admis ce préalable élémentaire que les meilleures intentions et les approches les plus cohérentes et les plus modernes des faits de civilisation (qu'elles soient géopolitiques, sociologiques, anthropologiques ou sémiologiques) cesseront de donner lieu à des pratiques pédagogiques totalement périmées. Nous proposerons en effet de prendre à la lettre, et non comme une métaphore, la définition que nous avons donnée de la compréhension culturelle, comme lecture de sens : on n'apprend pas à lire à quelqu'un en lui faisant la lecture, ni en lisant à sa place. Les élèves doivent être les acteurs et les chercheurs dans les démarches d'approche que nous avons évoquées plus haut, l'enseignant devant se limiter à être une aide, un guide et un conseiller en matière de recherche, de sélection, de traitement et d'interprétation des informations.

Tout d'abord, il faudra habituer l'étudiant à l'examen et à l'étude de documents authentiques, non médiatisés, de civilisation plutôt qu'à l'assimilation passive des synthèses toutes préparées qu'il trouve dans les manuels. La seule synthèse signifiante pour l'étudiant est celle, bonne ou mauvaise, qu'il se constitue lui-même, et non pas celle qu'on lui administre à l'aide de cours ou de manuels : à l'enseignant d'intervenir pour que cette synthèse instituante soit plutôt bonne que mauvaise, créative que figée, ouverte que fermée ou bornée. Les chapitres clos des manuels de civilisation sont destinés à faire place, dans un premier temps, à des dossiers souples contenant une assez grande variété de documents récents sur un sujet : extraits de presse, données statistiques, enquêtes, témoignages, interviews, etc. (formule des dossiers langue et civilisation du B.E.L.C.); dans un deuxième temps — bien sûr dans les contextes où cette recherche est possible, c'est-à-dire les pays européens —, à une procédure de recherche et d'enquête véritable où le « dossier » ne sera pas présent au départ mais constitué progressivement par les enseignés.

L'objection la plus courante à ces perspectives d'une pédagogie rénovée de la civilisation est la suivante : nous ne sommes ni des sociologues, ni des anthropologues, etc., et nos étudiants encore moins ; comment procéder et comment les aiderons-nous ?

Nous nous limiterons ici à donner quelques exemples de pratiques de classe très simples. De l'approche sociologique, on retiendra qu'il faut habituer les étudiants à rechercher les statistiques, les données institutionnelles, les résultats d'enquêtes et d'une manière générale toutes informations de nature à donner la dimension de problème ou de phénomène social à la question étudiée.

— Si, par exemple, on retient comme sujet la femme en France, on s'intéressera à la femme au travail et au travail des femmes, et une technique active de contrôle des indications que peuvent donner des articles de journaux consistera à étudier les annonces des journaux et, plus particulièrement les offres et les demandes d'emploi dans des journaux français ; on verra dans quelle mesure la gamme des offres d'emplois proposées aux femmes correspond à leurs demandes, ou au marché du travail masculin. On vérifiera également si les offres d'emploi proposées aux femmes sont aussi intéressantes ou aussi bien rémunérées que celles des hommes, etc. On incitera ensuite les étudiants à comparer avec leur propre pays et à noter les ressemblances et les différences.

— Si l'on s'intéresse aux rôles de l'homme et de la femme dans la vie familiale, un point de départ extrêmement motivant peut être fourni par un questionnaire d'enquête sociologique. Voici, à titre d'exemple, un extrait du questionnaire d'enquête d'A.M. Rocheblave-Spenlé[11].

Dimanches et jours fériés et loisirs[12]

— Qui va se promener avec les enfants ?
— Votre mari aide-t-il, à ses jours de liberté, et en quoi ?
— Confectionne-t-il parfois des plats ?
— Sortez-vous parfois le soir ? Ensemble ou séparément (cinéma, etc.) ?
— Invitations : qui invite ? des amis de qui ?
— Lettres : qui écrit les lettres aux amis communs ?
— Ouvrez-vous les lettres qui arrivent indifféremment à l'un ou l'autre ?
— Qui organise les vacances et entreprend les démarches nécessaires ?
— Qui a l'initiative dans la conversation ?
— Qui choisit vos vêtements (sous-vêtements et costumes) et ceux de votre mari ?
— Cadeaux : votre mari vous offre-t-il des cadeaux, ou des fleurs ?
— Qui lit le journal ?
— Savez-vous pour qui vous avez voté aux dernières élections ?
— Avez-vous voté comme votre mari ?

11 Sur une suggestion d'André Reboullet, extrait de Anne-Marie Rocheblave-Spenlé : *Les Rôles masculins et féminins,* P.U.F., 1964. Le fragment proposé est extrait d'un questionnaire d'enquête posé à des femmes mariées, allemandes, anglaises et françaises.

12 A.M. Rocheblave-Spenlé, *op. cit.,* p. 293.

Les questionnaires de ce genre, très en prise sur la vie quotidienne et le concret, sont tout à fait parlants et il faut, lorsqu'on en dispose de tout faits, inviter les élèves à faire une contre-enquête dans leur entourage, avec les moyens du bord — même si l'échantillon des témoignages qu'ils recueilleront n'est pas strictement représentatif d'un point de vue sociologique. Il faut également les habituer à poser les problèmes dans des termes concrets et précis comme dans ce genre de questionnaire et, pourquoi pas, s'ils s'intéressent à la vie quotidienne des Français, leur proposer de mettre au point des questionnaires de type sociologique portant sur les habitudes ou les attitudes et qu'ils pourront tester auprès d'informateurs français, lecteurs, assistants, résidents, correspondants, etc., et à plus forte raison à l'occasion de voyages en France. De la prise de connaissance d'enquêtes, on passe à la pratique proprement dite de l'enquête plus stimulante encore.

— Si les élèves s'intéressent aux rapports entre homme et femme en France et à l'image qu'ont les sexes l'un de l'autre, ou encore à l'idéal masculin ou féminin, rien de tel encore une fois qu'une promenade dans les petites annonces. Sur le même sujet, le sociologue déjà cité, Madame Rocheblave-Spenlé, réalisa naguère une enquête exemplaire. Nous conseillerons aux étudiants intéressés de faire à moindre frais une petite enquête consistant à relever une centaine d'annonces du *Chasseur français*. Il sera bon de savoir au départ, mais c'est le rôle du professeur, que ce périodique traditionnel est plutôt lu dans les campagnes qu'à la ville, par des conservateurs que par des révolutionnaires, par des agriculteurs ou des cadres moyens que par des ouvriers ou des citadins, par des catholiques que par des athées, etc. Une fois ces précautions prises, l'examen de cinq à six pages de cette respectable publication fera entrer de plain-pied l'étudiant étranger dans un univers à la Simenon : il suffira qu'on demande à la classe, en répartissant, pour aller plus vite, des tâches complémentaires entre les étudiants, de dépouiller les annonces matrimoniales et de dresser la liste :

1 des qualités dont se parent les annonceuses ;
2 des qualités qu'elles attendent d'un mari éventuel ;
3 des qualités qu'avancent les hommes ;
4 de celles qu'ils attendent d'une conjointe.

On établira assez vite quatre portraits-robots qui seront une mine d'informations sur un certain aspect de la société française qui résiste au changement. On verra que les premières qualités de l'homme sont d'être sérieux et dynamique, celles de la femme d'être jolie et gentille ; l'on n'indique que l'on a divorcé que lorsque c'est à son profit (div. prof.), ce qui constitue :

1 une garantie de moralité ;
2 une garantie financière (on ne paie pas de pension) ;
3 un certain charme : on a souffert.

On verra que les femmes disent souvent qu'elles sont jolies mais qu'un voile de pudeur masque la « beauté » des hommes. On les veut « grands » et ils se disent « sportifs » ou « d'allure jeune ». Enfin, détail révélateur de la modernisation des équipements en France, le « téléphone » est assez souvent demandé au partenaire éventuel dans les annonces matrimoniales. Il y a, avec six pages d'un numéro dépareillé du *Chasseur français*, de quoi amuser et faire travailler intelligemment une classe pendant une semaine entière.

Nous pourrions multiplier les exemples : l'étude des réclames et de la publicité des machines à laver et, en général, des appareils ménagers est parfaitement révélatrice à la fois de la tradition des rapports du couple français et de l'évolution que ces rapports connaissent dans le monde moderne ; l'exemple précédent nous a cependant amené au commun dénominateur de ce que doivent être des activités de découvertes et c'est pour cela que nous nous en tiendrons là : amusante et intelligente, amusante parce qu'intelligente, telle nous semble bien être la pédagogie de la découverte des faits et des significations de la civilisation contemporaine, éclairée par les méthodes de recherche des sciences humaines.

Francis DEBYSER

LA CONSTRUCTION DU SAVOIR CULTUREL

Enseignement de la civilisation et sciences sociales

A un moment où la méthodologie de l'enseignement des langues voit se dessiner un nouveau projet pédagogique dont on commence à percevoir la cohérence, qu'en est-il de l'enseignement de la civilisation ? En quoi est-il concerné par les perspectives nouvelles : besoins langagiers, itinéraires d'apprentissage diversifiés, approches communicatives et fonctionnelles, etc. N'est-il pas lui-même un des lieux de ces questionnements et de ces mutations ?

Sans doute n'a-t-on pas attendu les prises de conscience actuelles pour promouvoir des méthodes actives en civilisation[1] qui annoncent les réajustements qui se préparent. Sans doute est-ce par le biais de l'enseignement de la civilisation que s'est d'abord introduit dans la pédagogie des langues étrangères le document authentique, dont le rôle semble de moins en moins contesté. Mais quelles conséquences sont susceptibles d'avoir, sur ce type d'enseignement que l'on distingue encore, au moins institutionnellement, de celui de la langue et de la grammaire, la refonte des objectifs pédagogiques (« priorité » à l'enseigné) et le choix de supports authentiques ?

Il est patent que la « civilisation », en tant que contenu culturel, reste un champ aux frontières indécises et que les flottements qui ont présidé à sa définition demeurent : on ne reviendra pas sur la nécessaire osmose langue-civilisation, mais les contenus mêmes de l'enseignement de la civilisation se placent toujours sous la dépendance, au moins programmatique, de sciences humaines comme la sociologie, l'anthropologie ou l'histoire et semblent constituer un sous-produit vulgarisé de ces disciplines scientifiques. Ainsi l'enseignement de ce contenu, dans le cadre

1 *Méthodes actives en langue étrangère et travail sur documents,* multigr., B.E.L.C., 1974.

de l'apprentissage du français, se donne-t-il explicitement[2] comme une sociologie appliquée, reproduisant en cela, et à son détriment, le rapport linguistique générale/linguistique appliquée. Cette relation de dépendance n'est pas en soi dommageable et la validité des analyses de type sociologique n'est pas ici en cause. Mais ce rapport peut constituer un obstacle à des pratiques actives de constitution d'un savoir relatif à une civilisation étrangère (= savoir culturel) dans la mesure où ces données culturelles, importées d'un ailleurs sociologique, sont déjà élaborées : elles sont à reconnaître et non à construire. Il est d'ailleurs à souligner que certaines réalités culturelles ne peuvent relever que de cette activité d'identification (pratiques de la vie quotidienne, institutions, etc.) : on peut s'interroger sur leur signification, leur origine, mais elles constituent des objets directement observables. Dans la plupart des matériaux pédagogiques disponibles à ce jour, bien peu de place est faite à l'« implicite » culturel : les réalités françaises, de quelque nature qu'elles soient, sont directement dévoilées par l'intermédiaire de situations plus ou moins vraisemblables, auxquelles les étudiants ont peu de chance d'être confrontés (cf. l'exemple caricatural de la préparation d'un voyage à Paris, en province...). Ce savoir importé est simplement émietté au fil du dialogue, mais cette dissémination facilitante (fragmenter pour mieux faire comprendre) ne sollicite chez l'apprenant qu'une activité de synthèse sur un matériau dont l'analyse a déjà été faite par d'autres. Emprunter ainsi, sans transposition, des contenus à la sociologie ou à l'anthropologie (et laquelle ?) comme sciences de la « globalité », c'est courir le risque de contraindre, de l'extérieur, l'apprentissage de la civilisation à n'être qu'un débat d'idées générales, ou à la réduire à de vagues comparaisons : quelles autres attitudes sont effectivement possibles devant un savoir préconstruit (même s'il est à reconstruire) et, de ce fait, fermé ? Sans doute l'accès à des données générales n'est-il pas à exclure — il correspond à un moment de l'apprentissage —, encore faut-il attirer l'attention sur les conséquences malencontreuses d'une telle démarche, que l'utilisation de certains supports non pédagogiques permet peut-être d'éviter (mais des méthodes conçues dans cette perspective rempliraient le même rôle).

Construction du savoir culturel

Pour fonder cette hypothèse, il n'est pas inutile de s'interroger, au moins intuitivement, sur les modes d'appréhension des réalités étrangères. De telles préoccupations affleurent : distinguer des « réalités » de civilisation[3] qui présentent cette propriété paradoxale de n'être pas directement différenciables de leurs manifestations, ce n'est pas uniquement ordonner l'accumulation déconcertante des objets constitutifs d'un ensemble culturel, c'est aussi attirer l'attention sur les voies diverses qui sont empruntées quand il s'agit de le construire.

---

2 Voir dans *L'Enseignement de la civilisation française*, la bibliographie p. 269, collection F, Hachette, 1973.
3 Se reporter à F. Debyser : « Lecture des civilisations », p. 9.

Comment entre-t-on d'ordinaire dans un domaine culturel inconnu ? La « lecture d'une civilisation » nouvelle se fait nécessairement en fonction d'un projet plus ou moins strictement défini et d'une orientation plus ou moins sélective : appréhension du sens déterminée au degré zéro, pourrait-on dire, dans le cas du touriste (intérêts tous azimuts, avec focalisation sur la culture artistique/archéologique), ou plus étroitement, si l'on est ingénieur agronome et/ou militant syndical. La situation et les prises de position personnelles de chacun dans sa propre aire culturelle déterminent des degrés de sensibilisation divers à des « niveaux » de réalités différents. En ce sens, il n'est vraisemblablement pas pertinent de parler de « besoins en civilisation », encore que ce soit possible dans le cas d'une insertion professionnelle attendue, mais tout au plus de motivations (tout comme on peut décider d'apprendre le français pour son supposé prestige), ou mieux, d'attentes, qui peuvent être largement informées par l'image idéologique, traditionnelle et simplificatrice, mais déterminante à ce stade, qu'on se forme d'une culture avant tout contact direct ou suivi[4].

Il n'en va pas autrement quand le cadre dans lequel s'élabore ce savoir culturel est une classe de langue. Ceci suppose que chaque « thème » (mais ne vaudrait-il pas mieux partir de *documents* en vrac, qui ne constituent pas un découpage préalable de la réalité socioculturelle, puisqu'ils sont exploitables dans toutes les directions) soit choisi en fonction de ces attentes. Un matériel d'enseignement à unités modulaires qui permettent de multiples regroupements et des itinéraires diversifiés doit pouvoir être à même d'intégrer ces attentes.

Excepté le cas d'un voyage d'étude qui suppose une familiarisation préalable, l'appréhension et l'interprétation d'une civilisation étrangère se font, en dehors de toute situation scolaire, par deux voies distinctes, complémentaires et souvent concomitantes.

Ce peuvent d'abord être des rencontres accidentelles qui donnent lieu à de brèves conversations où des informations s'échangent, des éléments de la vie quotidienne saisis au vol mais non toujours déchiffrés, des écrits de la rue (panneaux indicateurs, affiches publicitaires, slogans politiques ou électoraux...), des articles de quotidiens rédigés dans une langue autre que la langue nationale si on ne possède pas cette dernière (presse de langue anglaise en Grèce ou en Thaïlande) mais qui ne sont pas facilement interprétables (style des titres, significations des sigles, abréviations..., méconnaissance du contexte politique immédiatement précédent, des mécanismes institutionnels...), qui constituent les bases habituelles de la construction du savoir culturel. Approche nécessairement fragmentaire : passer devant les usines Renault ou même les visiter, lire les cours de la Bourse de Paris, cela ne permet pas d'appréhender avec un peu de précision la conjoncture économique française. Approche nécessairement partielle : où peut-on percevoir la structure administrative ou judiciaire, exception faite de quelques bâtiments ou placards officiels ? Un tel savoir est donc éclaté et impressionniste, sinon pointilliste. Mais c'est sur la base de cette expé-

4 Cf. L'Inde des fakirs et des vaches sacrées de *Tintin au Tibet*.

rience vécue immédiate que l'on procède à des généralisations guidées par une intuition «juste» ou abusive, à des comparaisons éclairantes ou chauvines quand il s'agit de la transmettre et de l'expliciter, de la conceptualiser en quelque sorte (cf. le compte rendu de voyage, sous forme de récit, souvenirs, conférence, dans une conversation privée, etc.).

Cette observation de surface constitue souvent, à elle seule, la totalité du savoir culturel acquis ; mais, parallèlement à cette appréhension limitée mais directe, dont il est vain de se demander si elle est vraie ou fausse, on peut désirer se donner les moyens d'avoir accès à des données globales, qui permettent de restituer chaque objet perçu isolément dans une perspective qui lui donne un sens. De telles approches, qui font émerger des niveaux culturels non directement observables, sont des élaborations secondes relevant de « spécialistes de l'universel » qui se fondent (ou construisent) sur des données spécifiques, élaborent des analyses destinées à d'autres fins que celle d'un apprentissage de la langue, mais qui peuvent être réinvesties dans des procédures pédagogiques. Ces analyses procèdent d'une démarche orientée par des hypothèses théoriques, et constituent à leur tour un fait culturel et non une vérification en dernière instance : que l'on songe aux débats auxquels donne lieu, dans la conjoncture actuelle, l'élaboration d'indicateurs économiques comme l'indice mensuel des prix de détail (I.N.S.E.E. *vs* organisations syndicales). Le guide touristique répond à ce besoin de synthèse et se donne comme une somme de connaissances générales efficaces et, au-delà de ses fonctions purement pragmatiques, propose une grille de lecture éclairante.

L'élaboration de ce savoir culturel est donc similaire au processus d'acquisition d'une langue seconde : constructions individuelles, provisoires et partielles, mises en place à partir du matériau linguistique limité que propose la méthode et révisées en fonction des réutilisations qui en sont faites. A cette différence près (mais elle est considérable) : pour la connaissance d'une civilisation, il n'existe pas de savoir définitif ou de modèle à atteindre, comparable à celui que constitue la langue cible. Pas de totalité autre que la dernière synthèse, provisoire et condamnée à le demeurer. Tendre vers un savoir culturel définitif c'est, à court ou à long terme, s'enfermer dans des préjugés sclérosants ; viser l'appréhension d'un supposé « système » de civilisation qui serait cohérent (en fonction de quelle homogénéité ?) relève d'une téléologie qui présuppose quelque chose comme la fin de l'histoire. Sans compter que ce savoir est fonction de l'évolution « personnelle » de chacun, de positions que l'on est amené à prendre dans les débats ou les conflits qui traversent sa propre aire culturelle et que l'on transpose naturellement — abusivement, diront certains — à d'autres conflits comparables d'autres cultures. Pas plus que le sujet linguistique, le « sujet culturel » n'est situé en dehors du champ de l'idéologie.

Quelques propositions pour l'enseignement de la civilisation

Quelles conséquences pédagogiques peut-on tirer de cette vision, tout intuitive, de l'acquisition du savoir culturel ? On ne prétend nullement proposer ici un modèle, mais un style de démarche, qui s'éloigne sans doute peu de procédures pédagogiques déjà connues et qui se sont élaborées à partir d'expériences concrètes : il suffit pour s'en convaincre de relire certaines fiches « A comme... »[5]. Nous voudrions simplement, à partir des quelques réflexions précédentes, faire percevoir une autre cohérence de ces démarches qui peuvent facilement intégrer, en le simulant, le mode d'apprentissage naturel d'un ensemble culturel étranger. Il ne s'agit donc, à aucun titre, de proposer une démarche canonique qui sous-tende toute unité didactique, mais bien de reconstituer en classe les modes de construction du savoir culturel en tenant compte explicitement de données sous-estimées ou gommées.

A côté d'une entrée par thèmes, qui constitue un découpage et donc une élaboration préalable de la matière sociale, on pourra partir de documents authentiques hétérogènes ou homogènes (ces derniers permettent de mettre en évidence des variantes signifiantes) dont l'exploitation permet des explorations diverses que les apprenants pourront infléchir en fonction de leurs attentes : le courrier du cœur peut constituer le point de départ d'une analyse de la presse féminine, de la condition de la femme, de l'image mythique du bonheur, de la morale sentimentale et sexuelle communément admise, c'est-à-dire ouvertement explicitable, de la pénétration de la psychanalyse dans les mentalités collectives (et sous quelles formes ?), du style de lettres personnelles adressées à la rédaction d'un hebdomadaire (encore qu'elles soient retouchées, suivant des normes linguistiques implicites), etc. Il est clair que certains supports privilégient naturellement certaines exploitations (exploitation directe : les annonces relatives à l'immobilier et le logement en France ; à côté d'une exploitation indirecte : les annonces relatives à l'emploi (offres et demandes) et le système scolaire, à travers les qualifications requises). D'autres offrent peu de latitude d'utilisation : avec des bulletins météorologiques écrits, on ne peut guère appréhender que les variations climatiques dans le temps et dans l'espace.

Sur la base de ce qui précède (cf. : Construction du savoir culturel), on établira, par commodité, une distinction entre les *indices primaires,* de nature extrêmement variée (linguistique, visuelle...) qui ont pour caractéristique de ne livrer d'un objet culturel que des informations fragmentaires, et les *analyses globalisantes* (qui se présentent exclusivement sous forme de textes et/ou de données chiffrées : tableaux, graphiques, cartes...). Il est aisé de reproduire en classe le processus d'élaboration du savoir culturel en établissant un va-et-vient entre ces deux sources d'information : on peut même privilégier, dans un

---

5 Fiches pédagogiques publiées dans *Le Français dans le Monde.* Une sélection en a été effectuée par A. Reboullet et J.-J. Frèche : A comme... 60 fiches de pédagogie concrète pour le professeur de français ; Hachette, collection F, 1979.

premier temps, les indices primaires pour n'aborder qu'ensuite les analyses globalisantes qui viendront confirmer, invalider ou modifier les généralisations qu'il est possible d'établir à partir de données partielles. Dans le cas particulier de débutants, les indices primaires, qui se présentent généralement comme des éléments de dimensions restreintes quand il s'agit de textes et qui, de plus, tendent à être stéréotypés (et donc prédictibles), doivent constituer le moyen privilégié d'une initiation à l'étude d'un objet culturel nouveau.

Il est essentiel que cette construction de leur savoir culturel par les apprenants se fasse à partir de *consignes d'analyse précises* des supports (par exemple : relever dans un corpus d'annonces relatives à l'emploi les postes explicitement/implicitement réservés à des hommes/femmes, ou sans indication de ce type, l'objectif étant de cerner les problèmes relatifs à la condition féminine), de même que l'on cherche à déterminer des attitudes par l'intermédiaire de variables représentatives qui, elles, sont directement observables. On peut donc concevoir que, une fois mis en possession de données fragmentaires, les étudiants élaborent collectivement leur(s) propre(s) synthèse(s) provisoire(s), qui seront sans doute divergentes, soit que les données suggèrent elles-mêmes des conclusions différentes, soit que les interprétations différentes trouvent leur origine dans les positions idéologiques ou intellectuelles assumées par les apprenants. Ensuite ces synthèses initiales seront utilement confrontées à des analyses de spécialistes, élaborées à partir de perspectives plus larges. Il est à souligner de nouveau que sociologues ou historiens ne sont pas les seuls détenteurs du savoir social (dont le savoir culturel ne constitue qu'un investissement particulier) : « Un doute peut légitimement s'insinuer quant à l'existence de la sociologie comme science rigoureuse de la société. Ce doute perce dans l'opinion publique... Par exemple, quand on lit dans le journal : « La sociologie s'apprend mieux dans la rue qu'à Nanterre » ou bien : « La sociologie, science féconde ou fausse science[6] » ? Ces comptes rendus de recherches spécialisées, linguistiquement plus difficiles d'accès, peuvent être pris en charge par l'enseignant qui en explicitera le contenu. Mais ces analyses sont à leur tour analysables, au moins quant au mode de construction des données sur lesquelles elles se fondent et sur les interprétations qu'elles en donnent. Elles s'intégreront aux conclusions provisoires établies à partir des indices primaires, produisant d'autres synthèses provisoires qui pourront s'élaborer au cours de nouveaux débats (qui prendront parfois la forme d'un panel).

Il ne saurait être question, quand nous proposons d'organiser la démarche pédagogique suivant un axe indices primaires/analyses globalisantes, de suggérer de quelconques « moments d'une classe de civilisation », mais d'attirer l'attention sur le mouvement de construction du savoir culturel et sur son inachèvement intrinsèque, puisqu'il n'existe aucune instance qui puisse le valider.

---

6 G. Lapassade, L. Lourau : *La Sociologie*, collection Clefs, Seghers, 1976, p. 238. (Pour une analyse plus approfondie du rôle et de la constitution du savoir sociologique, *cf.* L. Lourau : *Le Gai Savoir des sociologues*, collection 10/18, U.G.E., 1977.)

A titre d'illustration (partielle), considérons les exploitations auxquelles peuvent donner lieu le « carnet du jour » (celui du *Monde* par exemple) dont une utilisation de type plutôt linguistique a d'ailleurs déjà été proposée[7]. Ces textes brefs, énumératifs et stéréotypés, répondent bien aux caractéristiques d'un indice primaire : on ne saurait, à partir de ces données, se livrer au moindre calcul tant soit peu fondé sur l'évolution démographique de la France (taux de natalité, nuptialité, mortalité...) même si le dépouillement est effectué sur une longue période.

1 *Première exploitation possible : la structure de la famille française.*

Sur une série de carnets, on fera, dans une phase d'élucidation préalable, identifier la nature et la désignation des liens de parenté entre personnes qui portent/ne portent pas le même nom : un corpus privilégié, pour cette approche, est celui des annonces de décès du type : énumération de noms patronymiques immédiatement suivis de la nature du lien de parenté avec le défunt (soit : M. Albert D., son époux ; M. et Mme Alain D., M. et Mme Alvro M., ses enfants ; M. Robert C.L., M. et Mme Pierre C.L. ses frères et belles-sœurs... ont la douleur d'annoncer le décès de Mme Albert D., née Nicole C.L.) ou du type : énumération des noms patronymiques suivie, après la mention du nom du défunt, de l'énumération des liens de parenté, dans le même ordre (soit : Mme Pierre D., M. et Mme Philippe M., Mlle Véronique M. ont le chagrin de faire part du décès de M. Pierre D., leur époux, père, grand-père...) ou de type mixte. Il arrive souvent que les données soient insuffisantes au point de ne pas permettre de déterminer sans équivoque la nature des relations de parenté, surtout dans le second type. Ces indices primaires livrent certaines informations sur la structure de la famille française : si l'on considère l'ordre d'apparition des noms dans ces annonces, il apparaît qu'il est de nature hiérarchique, et que le classement est établi en fonction du degré de « proximité ». On peut établir des relevés qui feront apparaître une succession canonique qui serait à peu près la suivante : époux, enfants, parents (grands-parents), petits-enfants, arrière-petits-enfants, beaux-frères et belles-sœurs, oncles et tantes, cousin(e)s, neveux et nièces, familles parentes et alliées, amis... Il faudrait, d'ailleurs, établir plusieurs listes, suivant la génération à laquelle appartient le défunt (soit grands-parents, parents, frères et sœurs s'il s'agit d'une disparition intervenant au niveau de la troisième génération) et relever des variantes qui ne sont pas toujours accidentelles.

7 Cf. Nicole McBride : « A comme... avec le carnet du jour », *Le Français dans le Monde,* n° 128, avril 1977.

M. et Mme Armand Guillain
leurs enfants et petits-enfants,
Mme Paul Demelle, ses enfants
et petits-enfants,
Le lieutenant-colonel et
Mme Georges Blanchard,
leurs enfants et petits-enfants,
M. Jacques Nombel et ses enfants,
M. et Mme Henri Nombel, leurs
enfants et petits-enfants,
M. et Mme Patte et leurs enfants,
Les familles Tuntil, Gandon et
Xambety
ont la douleur de faire part
du décès de
Mme Andrée NOMBEL
née Euphrosine Pia
leur mère, grand-mère, arrière-grand-mère, belle-sœur, tante, grand-tante, cousine, parente et alliée...

Certains liens de parenté sont mentionnés systématiquement ou sporadiquement (beaux-parents, oncles...), nommément (enfants) ou globalement (cousins, familles alliées..., et toute la famille...). Autant d'indices qui permettent une classification hiérarchique plus fine. Si l'on considère, d'autre part, les annonces relatives aux naissances, cette liste se trouve réduite à la série : grands-parents, parents, frères et sœurs. Ces textes suggèrent donc l'existence de *deux représentations* de la famille : réduite et articulée autour du lien parents-enfants, élargie mais aux contours indécis (oncles et cousins et aussi belle-famille, mais avec quel statut relatif ?), dans chaque cas un statut privilégié étant réservé aux grands-parents (après l'époux, l'épouse, mais avant les enfants...). Il s'agit, ici, d'indications sommaires et seul le recours à des données globales permet d'aller plus avant dans l'analyse : ce qui suppose d'ailleurs une définition opératoire de la notion de « proximité » (ou de solidarité/cohésion familiale) à établir suivant la fréquence et les circonstances des rencontres, la nature et le type de relations, de cohabitation, etc., qui peut s'élaborer en classe.

On doit réinterpréter ces données réduites et ambiguës à partir d'analyses globalisantes[8] comme les notions statistiques de ménage ordinaire (« ensemble des occupants d'un logement d'habitation utilisé comme résidence principale, quel que soit le nombre et quels que soient les liens qui les unissent ») et de famille (« à l'intérieur du ménage ordinaire, une famille est constituée d'un couple légitime ou non, ainsi que de ses enfants célibataires de moins de 25 ans, ou d'une personne non mariée (veuve, par exemple) ayant au moins un enfant de moins de 25 ans vivant avec elle »[9]). Discuter de manière plus argumentée ces données brutes implique qu'on prenne en considération des analyses numériques (mais on évitera de proposer des statisti-

8 Sur ce point, consulter A. Pitrou : « Le soutien familial dans la société urbaine », *Revue française de sociologie*, 1977, vol. XVIII.
9 Cf. *Annuaire statistique de la France*, I.N.S.E.E.

ques simplifiées et immédiatement interprétables) et historiques[10]. On peut aussi utiliser des études effectuées sur des corpus comparables (testaments) qui, comme les faire-parts, sont socialement contraints[11], évoluent avec un certain décalage par rapport aux changements qui modifient la structure sociale, et sont donc à interpréter comme des rémanences. Le savoir culturel peut s'élaborer à ces deux niveaux (indices fragmentaires et données de synthèses) dans le cadre d'une démarche qui respecte son mode de constitution naturel.

2 *Seconde exploitation : la pratique religieuse*

A propos des annonces de mariage, on peut faire aisément constater l'existence de deux types de cérémonies : civile et religieuse (« X et Y sont heureux de vous faire part de leur mariage célébré dans l'intimité à... » *vs* « X et Y sont heureux d'annoncer que leurs enfants... se sont donnés le sacrement de mariage »). La mention d'un mariage civil est équivoque puisqu'elle n'exclut pas l'existence d'une cérémonie religieuse, alors que celle-ci la présuppose, mais cette relation d'implication dissymétrique ne peut être perçue à la simple lecture du « carnet ». On mènera la même recherche avec les annonces de décès dans lesquelles on peut établir des distinctions suivant le même critère : mention/absence de mention d'un service religieux :

— Mme Parchowski-Raffier,
Mme Lucien Parchowski, ses parents,
M. Alain Parchowski,
M. et Mme François Parchowski,
Mme Nicole Parchowski, ses frères et sœurs et leurs enfants

Toute la famille et ses nombreux amis ont la douleur de faire part du décès de

Mlle Nadine PARCHOWSKI

survenu accidentellement le 16 novembre 1977, à l'âge de vingt-huit ans à Paris.

Ses obsèques seront célébrées le mercredi 23 novembre 1977.

---

10 Ph. Ariès : *L'enfant et la vie familiale sous l'Ancien Régime*, coll. Points, Seuil.

11 M. Vovelle : *Piété baroque et déchristianisation : attitudes provençales devant la mort au Siècle des Lumières*, Plon, 1973.

— Odile et Georges Fargas,
Évelyne et Alfred Salvignol
ses enfants,
Ses petits-enfants,
ses frères et sœurs,
Et toute la famille
ont l'immense douleur de faire part du décès de

Pierre FARGAS
directeur

survenu le 11 septembre 1977 à l'issue d'une longue et cruelle maladie, à l'âge de 57 ans.

— Les amis de

Luis MERCIER VEGA
dit Charles Ridel

alias Santiago Parane
militant anarchiste
annoncent sa mort volontaire survenue le 20 novembre 1977.

Mais les annonces qui portent mention d'une cérémonie religieuse sont d'une interprétation délicate : elles peuvent correspondre à une tradition culturelle qui n'implique aucune pratique religieuse par ailleurs. Les écarts par rapport aux formules stéréotypées (« ont la douleur d'annoncer le décès de »... et toutes les variantes) constituent vraisemblablement l'indication d'une pratique religieuse plus suivie ou d'une religiosité plus intense (mention de l'extrême-onction...) :

— On nous prie d'annoncer le décès de

Mme Philippe GROS
née Marie-Louise Raymond

rappelée à Dieu le 6 septembre 1977, munie des sacrements de l'Église.

Ses obsèques ont eu lieu à Vichy dans l'intimité familiale.

Une messe à sa mémoire sera célébrée ultérieurement à Paris.

De la part de...

Lille,
Il a plu au Seigneur de rappeler à lui

Marcel-Henri PREVOST
professeur de droit
à l'Université de Lille

décédé à Carcassonne, le 9 septembre 1978 à l'âge de soixante-six ans.

Ses obsèques seront célébrées le jeudi 15 septembre 1978 à 11 heures, en l'église Saint-Martin-d'Esquermes à Lille, sa paroisse, suivies de l'inhumation dans la sépulture de famille au cimetière du Sud de Lille...

Trois attitudes face à la religion se laissent donc percevoir : absence délibérée et volontaire de pratique religieuse, pratique conformiste, pratique effective, sans qu'il soit possible d'en apprendre davantage, tant les informations de ces indices primaires sont fragmentaires. On devine aisément le type d'analyses qui permettraient de savoir si la France est redevenue une « terre de mission », quelles formes prennent maintenant les conflits confessionnels (le problème de l'école privée), ce qui nous renvoie très naturellement aux conflits du début du siècle.

3 *Autre exploitation envisageable : qui publie dans le carnet ?*

S'agit-il d'un groupe social relativement disparate qu'on ne pourrait au mieux définir que comme un sous-ensemble des lecteurs du *Monde* (mais ce public lui-même ne présente-t-il pas une homogénéité ?) ou d'une classe sociale en un sens plus strict. Peuvent servir de base à ces analyses : le nom des annonceurs (familles connues, particule nobiliaire), leur adresse (géographie sociale), leur profession, leurs titres universitaires, leurs distinctions civiles et militaires, leur carrière que l'on peut en partie reconstituer d'après la liste des fonctions occupées ou qui est donnée dans une notice de la rédaction :

— On nous prie d'annoncer le décès de

M. Émile MÉNAGER
ancien secrétaire général
du Centre Universitaire
méditerranéen de Nice
Chevalier de la Légion d'honneur,
commandeur des palmes
académiques,
survenu à Nice, le 11 novembre 1977,
dans sa soixante-dixième année.

[Né en 1907, à Cannes, Émile Ménager a été professeur de philosophie dans divers lycées, de 1929 à 1937. En 1938, il devint secrétaire général du Centre Universitaire méditerranéen de Nice, poste qu'il occupa jusqu'à son départ à la retraite, en 1973. A partir de 1965, il avait été, en outre, chargé de travaux à la faculté des Lettres de Nice. Il dirigeait la collection des « Annales » du Centre Universitaire méditerranéen de Nice.]

Mme Roger Loubry et sa famille ont la douleur de faire part du décès de

Roger LOUBRY
président de la SODETRAF
vice-président d'Air Afrique,
ancien directeur général
de la compagnie aérienne U.T.A.
officier de la Légion d'honneur
survenu subitement le jeudi 8 septembre 1977 à Athènes...

Il est bien évident que l'interprétation de chacune de ces informations brutes prête à discussion (le nom, par exemple). On pourrait ainsi dégager des traits convergents (la convergence dépendant du critère d'homogénéité retenu), mais certainement pas trancher la question de la nature des rapports entre personnel de décision économique et administrative, grandes familles, professions libérales et intelligentsia. La discussion reste elle-même suspendue à la définition théorique d'une classe/d'un groupe social, sur laquelle la sociologie est divisée (salaire, profession, place dans le processus économique de production...) et une fois encore, le recours à d'autres informations s'imposera aux apprenants comme une nécessité : ils n'auront pas le sentiment que les analyses globalisantes sont inutiles, surtout si on se garde de les choisir dans le corpus inépuisable des penseurs humanistes, comme cela a souvent été le cas.

Ce travail sur le carnet du *Monde* peut être complété par une analyse du *Figaro,* de la presse provinciale, etc., où figurent de tels textes : cette analyse sur un corpus plus représentatif aura pour effet de faire prendre conscience de la validité relative des observations effectuées à partir du seul *Monde.*

Ce que cette démarche indices primaires/analyses globalisantes implique, c'est qu'un véritable travail d'enquête soit mené par les apprenants eux-mêmes. Il est bien évident que s'ils refusent de s'appréhender comme sujets sociaux et de se mettre en jeu en tant que tels (attitudes de neutralité prudente ou d'indifférence, refus de s'impliquer, blocages et autocensure, désir de n'apprendre que la langue, ou la langue dans l'unique but de« survivre » en milieu étranger), il sera difficile de pouvoir les mobiliser sur de tels objectifs et leur faire prendre en charge de telles démarches.

Malgré tout, avec un minimum de motivation et si les conditions d'enseignement sont suffisamment souples, ils pourront recueillir les données, les analyser, avec toutes les difficultés épistémologiques que cela suppose (une donnée est une construction), se livrer à des généralisations modulées, suivant leurs déductions ou en relation avec des analyses préexistantes par rapport auxquelles ils prendront spontanément position. Cela signifie qu'ils ne soient plus confinés au rôle, même actif, de consommateurs de données élaborées ailleurs. Leur intérêt pourra être d'autant plus vif qu'ils retrouveront dans ces classes de civilisation la démarche et les enjeux qui sous-tendent leur pratique sociale dans leur pays ; ils les vivront donc comme une activité moins gratuite ou ludique qui se déroule dans un espace neutralisé. Il est illusoire de vouloir impliquer les apprenants dans cet apprentissage si l'on évolue dans un *no man's land.* Se placer au point de vue de Sirius, c'est amputer les étudiants de leur compétence idéologique[12] dont le savoir culturel ne constitue qu'un champ d'application particulier.

Jean-Claude BEACCO

12 Pour ce dernier concept, cf. D. Slakta : « Esquisse d'une théorie lexico-sémantique : pour une analyse d'un texte politique », *Langages,* n° 23, septembre 1971, Didier-Larousse, p. 110.

QUELQUES PRATIQUES

Les supports pédagogiques « fabriqués » à des fins didactiques impliquent une méthodologie de leur utilisation qui est inscrite dans leur élaboration même. Tel est le cas des matériaux de type audiovisuel. Au contraire, les documents authentiques, qu'ils soient oraux ou écrits, ne relèvent pas d'une démarche d'exploitation unique ou universelle, dans la mesure où leur utilisation en classe est fonction de leur nature et surtout des objectifs d'apprentissage qui ont commandé leur sélection. Tant et si bien qu'un même support peut servir de point de départ à des activités extrêmement diversifiées.

Si une typologie des utilisations ne peut être établie dans l'absolu, on peut en ébaucher une dans le cas précis de documents écrits sélectionnés pour ce qu'ils révèlent de la civilisation. En effet, trois types d'exploitation au moins sont caractérisables :

1 *Information directe*

L'exploitation est centrée sur les informations qualitatives ou quantitatives que les documents présentent de manière apparente. Dans ce cas, il y a une forte corrélation entre le contenu du document et les champs de la civilisation qu'il permet d'appréhender. Ces données, fragmentaires ou de synthèse, inventoriées à partir de consignes précises, donnent lieu à des interprétations et des commentaires, éventuellement axés sur des comparaisons intra- ou interculturelles.

Les fiches *Annonces classées : L'immobilier* et *La fréquentation du café* illustrent cette démarche.

2 *Étude des media*

Les documents écrits le plus souvent retenus pour une utilisation en classe de français sont empruntés aux media et à la presse en particulier. On peut alors les étudier pour ce qu'ils sont et caractériser ainsi la situation des media dans un cadre culturel donné : styles et ressorts de la publicité, typologie de la presse écrite, diffusion et détermination socioculturelle des publics de lecteurs, « coloration » politique, etc. Une telle utilisation se différencie de la précédente en ce qu'elle tend à permettre à l'étudiant étranger de reconstituer le savoir culturel que des lecteurs français possèdent de leur propre presse : c'est cette compétence qui, par exemple, permet de situer le journal que l'on lit (et les autres) dans le champ social et idéologique. Cette démarche est illustrée ici par les fiches *La publicité et les vieux* et *Des annonces au journal : Libération.*

3 *Exploitation indirecte*

Dans ce cas, on interroge le document, non sur ce qu'il révèle immédiatement, mais sur ce qu'il traduit indirectement des réalités culturelles. Les indices à relever, qui ne sauraient être que fragmentaires et qualitatifs, ne sont pas seulement à identifier : ils sont à construire. Cette lecture oblique, qui reprend à sa manière la démarche épistémologique des sciences sociales, permet d'appréhender le réel social et culturel au second degré : celui des connotations, des idéologies, des mythes ou des représentations sociales. Une telle approche, outre le fait qu'elle est intrigante (que peuvent nous dire les carnets mondains de la France ?), autorise des développements inattendus (du carnet mondain aux guerres coloniales) et simule une démarche où le réel est appréhendé dans toute sa complexité. Exemplifieront cette démarche les fiches *Noms de rues* et *Noms de personnes.*

De ces différentes pratiques, les deux premières ont déjà été mises en œuvre dans la classe de français, même si elles n'ont pas été identifiées explicitement : elles présentent une certaine évidence et sont transférables à un très grand nombre de documents écrits. La dernière, plus ambitieuse, n'a vraisemblablement pas le même caractère de généralité : il est souvent difficile de réunir un corpus d'observations adéquat, tant les indices permettant une telle exploitation sont fragmentaires, disséminés et, pour la plupart d'entre eux, non linguistiques. De même que le langage, toute la civilisation ne peut entrer dans la classe. Cependant une telle démarche reste pédagogiquement très motivante.

Les exploitations de documents authentiques qu'on lira ci-après visent principalement un public de grands adolescents ou d'adultes. En effet, les activités qu'elles impliquent et les thèmes qu'elles permettent d'aborder supposent qu'une réflexion sur sa propre culture ait été faite par l'étudiant, ou qu'au moins elle soit possible. De plus, certains des documents retenus, même s'ils ne sont pas utilisés ici de manière exhaustive, présentent des difficultés linguistiques telles qu'ils ne sauraient être proposés à des débutants complets. De sorte que le public avec lequel on pourra tirer le plus grand parti de ces suggestions est sans doute celui des classes terminales de l'enseignement du second cycle et des premières années du cycle universitaire et au-delà.

ANNONCES CLASSÉES : L'IMMOBILIER

Cette fiche pédagogique est consacrée aux exploitations « socio-culturelles » des petites annonces classées. Mais nous ne traiterons pas ici des problèmes généraux relatifs à l'insertion même des petites annonces : rôle relationnel et de mise en contact pour l'annonceur, rôle commercial pour le journal, distribution dans la presse française (journaux spécialisés ou non, connus pour un certain type de petites annonces, etc.).

Autant de points qui peuvent donner matière à une réflexion axée sur le rôle et la structuration de la presse écrite française. Nous nous bornerons à dégager de ces annonces les informations directes mais partielles, plus qualitatives que quantitatives donc, qui concernent le marché de l'immobilier.

A partir de cette sensibilisation initiale et sur la base de ces premières données, il sera possible d'élargir la perspective et d'aborder un thème plus général comme : les Français et le logement, pour lequel nous fournirons ici quelques supports.

Un travail de ce type s'adresse surtout à des apprenants possédant déjà une certaine maîtrise de la langue (niveau moyen ou avancé) et déjà familiarisés avec la lecture des journaux dans leur langue maternelle.

Accès à l'information

La compréhension des petites annonces pose quelques difficultés d'ordre linguistique ou culturel qu'il importe de résoudre avant tout traitement systématique des informations.

1 *Décodage : annonces en abréviations*

Difficulté propre à ce genre de textes : le prix de l'annonce se calculant à la ligne, l'annonceur gagne de la place en utilisant des abréviations non normalisées mais aisément décodables avec un peu de pratique.

ST-MAUR - Rue des Bourdignons 5' R.E.R. dans imm. ancien entièrement rénové, à louer : Beau STUDIO tt cft 700 F 2 PIÈCES, tt cft 900 F. Deux 2 PIÈCES, tt cft 950 F, Boxes, 80 F. Tél...

MARLY-LE-ROI MONTVAL Séjour + 3 chbres. 2 bains 1 980 F ch. compr. Tél...

Très bel appart. 200 m², conviendrait à usage professionnel. Plein soleil, verdure.
ST-CLOUD living dble + chbre. vue, moq. Tél. 1 700 Tél...

a) Style télégraphique (abréviations d'ordre syntaxique).
Faire constater : l'absence du prédicat, donné par la rubrique sous laquelle est classée la petite annonce (location, vente...) de l'article, des relations de subordination.
Les déterminations (adjectifs, adverbes...) sont rarement supprimées.

b) Abréviations (d'ordre lexical).
Faire un relevé, en notant quelques variations, pour montrer qu'elles ne sont pas standardisées.
Faire élucider les moins évidentes, par exemple : Kitch. : petite cuisine ; ou celles qui sont ambiguës, par exemple : ch. comp. = charges ou chauffage compris ?

2 *Compréhension*

Les annonces entièrement rédigées qui sont les plus rares, ainsi que celles où l'on utilise des abréviations, présentent un contenu d'information relativement prédictible. On vérifiera la bonne compréhension de l'annonce par des questions de contrôle portant sur ces divers éléments d'information.

LE SERVICE
LOCATIONS
du Cabinet
EDGARD QUINET
vous propose
dans imm. neufs
Proximité Défense
Courbevoie
Bois-Colombes
Asnières
La Garenne-Colombes

Pour visiter et traiter
Service Locations
Cabinet Édgard-Quinet
22 rue Édgard-Quinet
1er étage
92 COURBEVOIE
BÉCON
(GARE DE BÉCON)
Tél...
Grand Standing. Beaux
STUDIOS ET 2 P.
de 700 à 1 000 F
charges en sus.

— *Qui loue ?* (vend, achète... ?) : agence, particulier...
— *Quoi ? :* appartement, chambre, immeuble...
— *Où ? :* repérage direct (adresse) ou indirect (arrondissement, quartier, proximité de...).
— *Dans quel état ? :* neuf, ancien, standing...
— *A quelles conditions ?* loyer, charges, prêt...
— *Comment entrer en contact ? :* téléphone, rendez-vous, visite sur place.

Tous ces éléments ne figurent pas toujours dans une annonce. Certains ne sont donnés qu'après une première prise de contact entre acheteur/locataire potentiel et l'agence immobilière (adresse exacte, prix, etc.).

Un certain nombre de termes utilisés dans ces petites annonces renvoient à la structure du marché immobilier, à la disposition des logements, etc. et ne sont pas compris parce qu'ils impliquent des connaissances d'ordre institutionnel, juridique ou technique qu'il est indispensable de fournir aux apprenants (par exemple : engouement actuel pour le duplex).

On procédera donc à une mise au point, soit directement (élucidation du sens de certains éléments lexicaux), soit à l'aide de documents complémentaires (texte de contrat de location, règlement intérieur d'immeuble, plans d'appartements, dépliants publicitaires, etc.). Risquent de faire difficulté des notions comme :

— *studio :* appartement d'une pièce, à distinguer d'atelier ou de chambre ;

— *duplex :* appartement organisé sur deux niveaux reliés par un escalier intérieur, à distinguer d'une organisation sur deux étages. Très à la mode et très coûteux ces dernières années.

— *salle de bains, salle d'eau :* avec ou sans baignoire ;

— *parking :* garage, généralement, en sous-sol, non fermé ;

— *box :* garage fermé, en sous-sol ou de plain-pied ;

— *charges :* frais d'entretien, compris ou non dans le loyer, couvrant les dépenses relatives au nettoyage, au chauffage, au gardiennage, mais ne comprenant pas les taxes téléphoniques, d'électricité, et quelquefois d'eau chaude ;

— *maison bourgeoise :* immeuble de rapport, de dimension moyenne (les six étages parisiens), de bonne construction, datant du début du siècle ;

— *chambre de service :* chambre indépendante de l'appartement principal dans une maison bourgeoise, généralement située sous les toits et destinée au logement du personnel domestique ;

— *escalier de service :* escalier réservé au personnel domestique, aux livreurs et arrivant à l'office ;

— *bail* (pl. baux) : contrat par lequel le propriétaire d'un immeuble (ou d'un appartement, etc.) en cède l'usage ou la jouissance à certaines conditions et pour un temps déterminé (généralement, pour les locations, durée d'un an, renouvelable, « par tacite reconduction ») ;

— *agence immobilière :* établissement commercial qui met en présence les propriétaires et les acheteurs/locataires éventuels. Les frais d'agence, pour un contrat de location, s'élèvent en général à 10 % du loyer annuel ;

— *notaire :* officier ministériel qui rédige les actes, les contrats et leur donne un caractère d'authenticité.

3 *Interprétation*

En dehors des données objectives (prix, dimension, localisation), certains éléments sont absents, et d'autres sont à interpréter.

Par exemple, l'absence de précision du montant du loyer peut laisser entendre que celui-ci est surestimé par rapport à la valeur réelle de la location.

Éléments à réinterpréter :

ST-MANDE,
Ravissant studio
confort, chff. cent.,
tél. 550 F + charges,
Tél. : ...

Pas d'indication de superficie, « ravissant », permettent de penser qu'il s'agit d'un studio minuscule. Variantes stylistiques possibles : charmant, coquet, etc.

PROX. PANTHÉON,
SÉJ. + CHAMBRE
CARACTÈRE, tél.
60 m² CHEMINÉE,
calme, soleil.

« Caractère », dans un quartier ancien, indique en général que l'appartement a des poutres apparentes. L'absence d'indication de rénovation ou un prix relativement peu élevé sont alors synonymes d'inconfort.

AUTEUIL, Gd stand.
160 m²
Dble liv. 3 chbres. 2 bains
tél., balc. box 5 900 net.
Tél. : ...

« Standing » indique généralement un prix élevé.

Collecte des données et traitement de l'information

Un autre type d'exercice peut être centré sur la collecte et le traitement de données. On pourra ainsi amener l'étudiant à établir un certain nombre de comparaisons qui révèlent ou confirment des informations sur la situation actuelle du logement en France, et à Paris en particulier.

1 *Le logement à Paris selon les quartiers*

A partir d'une page publicitaire sur les constructions neuves à Paris, comparer les prix de vente selon les arrondissements. Puis utiliser un plan de Paris. Faire expliciter les causes des différences et en tirer des conclusions sur la géographie socio-économique de Paris.

Ventes, Val-de-Marne

ST-MANDE bois, lac Daumésnil, superbe liv., 3 chbres, 2 bains, 125 m2 + service + box, 1.050.000. CBS 524-40-08.

ST-MAUR, imm. marbre 1974, 2 P. cuis., tt cft, 3e ét. asc., 215.000 F. Frais notaire réduits. 347-26-81.

STUDO NOGENT
Imm. neuf, très gd standing. THUMAL 883-12-11.

VINCENNES
DEROULEDE-JARRY
Imm. stand. du 2 au 4 P. à partir de 5.300 F le m2
PRET CONVENTIONNE
S/pl., 162, rue de la Jarry, lundi, mercredi, jeudi, vendredi 14 h 30 à 18 h 30. Samedi 9 heures à 12 heures.
VINCEM 374-78-29.

50 M BOIS VINCENNES
Directement du pptaire, refait neuf, studio, kitchen., chf. cent., 80.000 F. Visite samedi 14 à 16 h, 18, r des Vignerons, Vincennes.

ST-MAUR, part. vend 5 P. 100 m2, proche R.E.R., tt cft, 430.000. Libre septembre. TEL. 283-23-37.

FACE AU BOIS, 53, av. Foch, à Vincennes, petit imm. de haut stand. en pierre de t. A vendre du 2 au 7 P. Livraison printemps 79. Appt modèle mercredi, samedi de 13 à 18 h et sur rendez-vous. Tél. 266-92-00.

200 M R.E.R.
A GENTILLY
à 5 stations du Châtelet

VILLA AMELIE
17, rue Lafouge,
2 immeubles sur jardin, studios et 3 pièces.
PRETS CONVENTIONNES
Livraison immédiate.
APPT DECORE, SAMEDI
lundi 11 h/19 h, mardi mercredi et vendredi 14 h/19 h. 588-14-88.

INTERCONSTRUCTION
604-81-87.

JOINVILLE-LE-PONT. Part. vd 3 P. 60 m2, stand., tél., cuis. équipée, balc., calme, soleil. Parfait état. Décoration paille japonaise. 265.000 F. Tél. 883-20-12, 19 h. 261-57-47 bureau.

NOGENT-SUR-MARNE. 4 P. 84 m2 + 3 balc., cuis. équipée, séchoir, s. de bains marbre, tél., box, soleil. 400.000 F. - 873-36-56.

FONTENAY-SOUS-BOIS. RER. 4 P., cuis., tt cft, 80 m2. 230.000 F. - 374-97-05.

IVRY Appt F4, dans immeuble 1974, surface habitable 76 m2, tt cft, arrêt bus 183. T (33) 24-07-43 ou 265-77-

LA VARENNE centre. Da imm. très récent, super 4/5 P., cuis., bains, dch 2 w.-c., très beau balc excellente orientation, ca et park. sous-sol. 600.000 THUMAL 883-12-11.

JOINVILLE. Dans imm. pierre de t. 1973, bel ap 68 m2 + balcon, magnifiq vue s/Marne, cave et bo 395.000. THUMAL, 883-12-1

M° Maisons-Alfort. Tt cft, g
2 P. entrée, cuis., refait 189.000 F. 567-70-85.

CRETEIL PRES DU LAC
M° Créteil-Préfecture.
Dans immeuble neuf.
Libre immédiatement.

CHAMBRES individuelles
64.000 F
avec 13.000 F d'apport.

STUDIOS
142.000 F
Cave et garage compris.
Avec 28.000 F d'apport.

Location et gestion assurées
Tél. 207-71-
de 11 h à 19 heures.

Ventes, Seine-Saint-Denis

ST-DENIS. M° Porte Paris Beau 2 P. tt cft 80.000. beau studio tt cft 70.000. crédit 90 %. 361-59-23.

Vends appt F2 rez-de-chaussée, calme, centre ville, NOISY-LE-GRAND. 130.000 F comptant. Ecrire CLOVIS n° 7.717, 136, av. du Gl-de-Gaulle, 92522 Neuilly-sur-Seine.

Bobigny, 2 P. sur jard., très calme, soleil, à rénover, avec 6.000. Pptaire 296-12-08.

Pantin, prox. Paris, ravalé 2 P. cuis., à moderniser, avec 8.000. Pptaire 260-29-61.

Pré-Saint-Gervais, imm. ravalé 2 P. w-c, s. d'eau, kitchen., avec 9.000. Pptaire 296-12-08.

NEUILLY-PLAISANCE
PLATEAU D'AVRON
Studio 88.500 F, 2 P. 127.000 F, 3 P. 180.000 F. Crédit exceptionnel à 11.50 %
PAUL MOREAU S.A.
260-39-11 poste 245.

AULNAY centre, vends dans petite résidence neuve de stand 5 P. équipé et 2 P. Tél. 869-29-43, pour visites sur place, le samedi, 5, rue de Tournadour.

ROSNY, part. vend 4 P. tt cft, proche R.E.R., gare, commerçants, crédit possib Tél. 854-95-09.

Aubervilliers, beau 4/5 P. confort, 3e asc., balc., tél., soleil, 210.000 F. 878-19-42.

Ventes, Hauts-de-Seine

◆ CLAMART, près BOIS, 2 p., cuis., dche. 150.000 F. A rénover. 642-33-16.

SEVRES Luxueux appt, 140 m2, avec immense liv. + 3 chbres, 2 terrasses (230 m2) +2 park.+2 caves, vue imprenable, calme et verdure, parfait état. 1.150.000 F. Tél. 626-40-55.

OREE DE SCEAUX
R.E.R. à 200 m, 3 p., 72 m2 +balc. 16 m, dans imm. stand. s/jardins. 485.000 F. Tél. 666-86-91 le matin.

COURBEVOIE centre, part. vd dans imm., 1974, luxueux 3 p., balc. 16 m2, park. sous-sol. Tél. 333-04-07.

ST-CLOUD VAL-D'OR
Liv. dble, 2 chbres, 90 m2, imm. récent, 6e ét., stand., vue 530.000 F. Tél. au 531-25-05 après 19 heures.

MEUDON-LA-FORET
4 p., tt cft, sud, 70 m2 +loggia, cave, parking. 230.000 F. Tél. 027-29-62.

◆ PORTE MONTROUGE s/jardin, 2 p., cuis., bains, calme. 290.000. Tél. 642-33-16.

BOULOGNE Liv., 27 m2, 2 chbres. 410.000 F. 604-46-87.

SEVRES Prox. gare et commerces. Part. vd appt 40 m2, 2 P., s. de bains, cuis., entrée. R.-de-ch. surélevé, cave, park. Imm. 1958. Calme, exposition ouest, 180.000 F. Tél. 626-59-23 après 17 h.

BOULOGNE RESIDENTIEL
Près place Rhin-et-Danube
NEUFS, S/JARDIN
2 P. 397.000 park. inclus.
3 P. 443.000 park. inclus.,
Gds balcons, vue dégagée.
HABITABLES DE SUITE.
31, rue Bellevue, 563-92-40.

ST-CLOUD. Dans résidence, vue sur Paris, 2-3 p., 70 m2 + loggia, 340.000 F. 651-32-20.

MONTROUGE. Beau 3 p., 71 m2, 1965, 8e ét., asc., séj. + 2 chbres, bains, w.-c., cuis. aménagée, nombreux rangements, parking, 290.000 F. 735-62-22.

PUTEAUX (près mairie). Liv., 3 chbres, 2 bains, balc., récent, 378.000 F. 727-04-16.

ST-CLOUD. Parc de Béarn. Très beau 6 p., 180 m2, récept. 50 m2, vue sur Paris, prix 1.290.000 F. H. COGE S.A., 602-57-27.

LOCALITÉS RUES ET NUMÉROS		NOM ET ADRESSE DU CONSTRUCTEUR OU DU VENDEUR	ÉTAT DES TRAVAUX	NOMBRE D'APPARTEMENTS		NOMBRE DE PIÈCES	MODALITÉS FINANCIÈRES	
				Total	*Disponibles*		*Prix de base du 3 pièces ou du m²*	*Prêt Foncier ou Privé*
5e ARRONDISSEMENT								
Bernardins (rue des)	22	**PIERRE BATON S.A.,** 21, av. Paul-Doumer, 75016 Paris. **704-55-55.**	**Finitions**	**15**	**10**	**St. à 4**	m² à part. de 10.500	
Buffon (rue) «Jardin des Plantes»	15	**SOFER,** 69, rue Lafayette, 75009 Paris. **285-72-22.** Sur pl. ts les jrs (sf mar.) de 14 à 19 h. **336-15-42 - 331-29-20.**	**Achevés**	**122**	**16**	**St. à 5**	m² 9.500 F.D.	**80 %**
Estrapade (rue de l') **Clotilde (rue)**	14 4	**SINVIM et Cie,** 3, av. Kléber, 75116 Paris. **500-72-00.** Appt mod. et b. vte s. pl. ts ls jrs 11-13 h, 14-19 h (sf mar., mer.). **329-87-11**	**Terminés**	**60**	**17**	**St. à 5**	m² à part. 11.700 fer.et n. rév.	**80 %**
Gracieuse (rue) «Hameau Mouffetard»	11-13	Réal.: **SGMI CONSTRUCTEUR,** 35, q. André-Citroën, 75015 Paris. **578-65-10.** Rens. et vte s. pl. ts ls jrs (sf me., di.) 14-19 h, sa. 10-12 h - 14-19 h ou au siège. **331-55-81.**	**Finitions**	**73**	**35**	**St. à 5 duplex**	m² 10.500hab. fer. déf.	**80 %**
16e ARRONDISSEMENT								
Copernic (rue)	20	**C.E.P.-FRANCE,** 15, square de l'avenue Foch 75016. **500-51-47** ou **51-20.**	**Finitions**	**12**	**1**	**160 m²**	m² 10.000	**80 %**

Exelmans (bd) **« Constellation »**	65	**OFIBA,** 62, r. de Richelieu, 75002 Paris. **742-10-69.**	**Achevés**	**105**	**7**	**2 à 5**	m² 9.200	**80 %**
Léo Delibes (rue) **« Le 1900 »**	10	**T.W.I. FRANCE,** 128, bd Haussmann, 75008 Paris. **522-01-61.**	**Finitions**	**9**	**6**	**A vos mesures**	m² 13.000 fer. et déf.	**80 %**
Mérimée (rue) **« Le Mérimée »**	*7 bis*	**CICA FRANCE,** 45, rue de Courcelles (8e). **227-04-30.**	**Finitions**	**32**	**1**	**5 ch. ind.**	m² à part. de 13.000 FD	**80 %**

18e ARRONDISSEMENT

Boucry (rue de) « Super 18 »	8 *ter*	Réal. et vte : **MEUNIER PROMOTION,** 10, pl. de la Madeleine (8e). **296-15-63.** Bur. de vte mar. au ven. de 14 à 19 h.		**46**	**4**	**2 à 4**	m² 4.800	**Par BNP préf.**
Pajol (rue)	43	**C. FROMONT,** 11, av. Victor-Hugo, 75116 Paris. **500-36-00.**	**Gros œuvre**	**28**	**25**	**St. à 4**	m² 5.250	**80 %**
Poteau (rue du)	61	**ANJOU,** 7, bd Malesherbes (8e). Visite sur rendez-vous. **265-09-99.**	**Achevés**	**168**	**10**	**St. à 3**	m² moy. 5.600 fer.	**80 %**
St-Michel (villa) **« Le Candidat »**	16	Réal. et comm. : **SGMI,** 35, q. A.-Citroën, 75015 Paris, **578-65-10.** B. de vte s. pl. 42. av. St-Ouen. **263-94-78** ts les jrs (sf ma.-me.) 14-19 h sa., di. 10-12 h 14-19 h.	**Gros œuvre**	**162**	**103**	**St. à 6**	m² 7.400 F et D	**80 %**
Saint-Ouen (av. de) « Les 2 Quartiers » (Mo La Fourche)	22-24-26	PUJOS S.A., 98, av. R.-Poincaré, Paris (16e). **296-17-01.** B. vte 14 h 30-18 h 30 (sf me., di.), sa. 10 h 30-13 h, 14 h 30-18 h 30. **292-13-51.** Réal. :PUJOS SA.	**Achevés**	**200**	**17**	**St. à 5**	m² 5.300 ferme	**80 %**
Stephenson (rue)	55-57	**PUJOS S.A.,** 98, av. R.-Poincaré, 75116 Paris. **296-17-01.** Appt tém. 14 h 30-18 h (sf me., di.), sa. 10 h 30-13 h - 14 h 30-18 h. **258-24-12**	**Achevés**	**128**	**19**	**St. à 4 p.**	m² 5.000 moyen	**80 %**

Indicateur Bertrand.

IMMEUBLES D'HABITATION

VENTES

POUR MARCQ BONDUES
Appelez le spécialiste
Immobilière Marcq-Bondues
72.69.05

Nouv.-Roubaix
très belle mais. spac.
gd liv. cuis. véranda 3 ch.
grenier cave **B. JARD.**
Prix 22 U 5

LANNOY
tr. belle mais. employé coul.
b. liv. cuis. cour 3/4 ch.
Prix 14 U 9

TOURCOING
VIROLOIS
idéal jeune ménage
3 pces 3 chbres gren. cour
aérée. Prix 8 U 6

WASQUEHAL
BLANC-SEAU
mais. B.E. coul. sal. s. à m.
cuis. s.d.b. 2 chbres poss. 4
ch. ctr cave jard. poss. gar.
Prix 18 U 5 à déb.

POSS. PRET CONVENT.
SUR TOUS NOS IMMEUBLES

S'adr. ♦ **C.I.H.**
20, r. L. Loucheur, Hem
75.38.12

A vendre Marlière maison
ét. impecc. tt cft, accès
sur deux rues, jardinet
Px 260.000 F. Ecr. init. YXVE

Je vds sur Tourcoing
immeuble à usage commercial
ou habitation. Tél. après
18 h 76.58.21

Limite Lille - Marcq
2 STUDIOS NEUFS
avec garage : 129.200 F
livraison immédiate
appt témoin, lundi et samedi
14 h 30 à 18 h rue Menaux
MARCQ (près rue du Buisson)
Tél. 57.55.69

Quesnoy s/Deûle
part. vd mais. 3 ch. s.d.b. cuis.
équip. séj. chem. f.d.b. cave
vér. gd gar. jard. 300 m2
Px 32 U. 78.96.06

Vends maison avec
jardin visite ce samedi
de 10 à 12 h, 9, r.
du Congo, Wattrelos

Fraternité
MAIS. ENT. RENOVEE
A SAISIR CE JR DE 14 à 16 H
10 RUE PRUDENCE ROUBAIX

BONDUES
VILLAGE
Semi pl. pied, 5 ch. gar.
2 voit. non mitoyen
sur 700 m2
Tél. 76.87.03 — 76.73.66

MOUVAUX
MAISON SPACIEUSE
Beau jardin
PRIX A DEBATTRE
23.000 F CPT - FACILITES
PAVINOR T. 75.37.96

SKI à CHATEL (Hte-Savoie)
studios 4 pers. 2/3 p.
avec 31.000 cpt + crédit
gestion assurée. ERIGE
84, rte de Genève, 74240
GAILLARD (50) 38.52.89 +.

Roubaix Grande Rue
231 et bis, 2 mais. libre
dont 1 à rest. 160.000 F
les deux Tél. 75.12.10

Méditerranée (Languedoc)
encore 3 appartements à
vendre à partir de 135.000 F.F.
face à la mer (unique)
T. 065-72.84.52
ou 065-72.32.76
Imm. Degueldre, 7460 Casteau

Lille 159 r. du Ballon part.
vd studio 6 U.
vis. libre ts jours T. 75.25.10

POUR ACHETER
voyez l' AGENT IMMOBILIER FNAIM
vous le
reconnaîtrez
au losange: ♦
RAPIDITÉ

Villeneuve d'Ascq Château
appt type 4 réc. terr. gar.
chauff. indiv. Mr LAMIRAND
05.03.09 ou ce jour
5, allée Chantilly de 14 à 17 h

PART. VD MAISON TYPE 5
en construction, Toufflers
LIVRABLE AVRIL 79
Ecrire aux initiales CYAM

Baisieux sup. pl.-pied
sur 2.000 m2 pl. séj. 55 m2
cuis. équip. 5 ch. 2 s.d.b.
ch. ctr gar. 52 U. A voir
vite 91.36.29

Cse départ part. vd
maison cadre séj. sal. 3 ch.
s.db., cuis. éq. ch. ctr.
jard. planté, f.d.b. gar.
état impecc. 28 av. Clémenceau
WASQUEHAL 70.11.88

Neuville-en-Ferrain
85, rue du Dr Schweitzer
MAISON A VENDRE 30 U

Particulier vend
PETITE MAISON CAMPAGNE
BOUVIGNIES (Orchies) sur
1.000 m2 Tél. 46.58.89

BONDUES, part. vd maison F5,
tt cft, gar. 2 voit. jard.
Tél. 78.20.46 le soir après
17 h 30, samedi toute la journée

Dordogne à vdre maison en
pierre, rénovée, prox. riv. vue
s. Monbazillac, 5 km Bergerac
5 pièces + garage, ch. ctr.
2.500 m terrain 45 U dont
25 cpt reste en crédit
Ecrire aux initiales BYZL

Nord Éclair.

Exemples :
— *Prix moyen : 11 000 F le m²* (en juin 1979).

XVIᵉ arrondissement. Quartier chic, aéré, prestigieux. L'ouest de Paris, et jusqu'à la banlieue ouest, coûtent généralement un prix élevé.

— *Prix moyen : 10 000 F le m².*

Au cœur même du Paris historique et culturel (Panthéon, Mouffetard). Rénovation récente d'un quartier naguère populaire.

— *De 4 800 à 7 400 F le m².*

XVIIIᵉ arrondissement. Immeubles non situés dans le « bon » XVIIIᵉ (la Butte Montmartre Sud). Quartier très populaire, excentrique et qui ne constitue pas un pôle d'attraction.

2 *Paris/Banlieue*

Une comparaison semblable de prix et de conditions de logement peut être faite entre Paris et sa banlieue proche. On pourra, à cette occasion, indiquer que Paris *intra muros* a perdu environ 500 000 habitants dans les dix dernières années.

Faire déduire quelle influence cette situation exerce entre autres :

— sur la vie des habitants de banlieue (« métro-boulot-dodo ») ;
— sur la nature de la population parisienne (aux élections municipales de mars 1978, le parti communiste a perdu quatre sièges à Paris ; *cf.* document p. 54).

3 *Paris/Province*

Faire comparer le prix des logements à superficie égale (un appartement de trois pièces par exemple).

4 *L'image du confort*

Le confort est une valeur relative : il se définit de manière différente en fonction du degré de développement matériel d'une société et par rapport à ses autres valeurs culturelles. Pour caractériser cette représentation du confort en France, on examinera à nouveau les petites annonces reproduites pages 43 et 46. On donnera pour consigne aux élèves de relever dans ces textes les éléments descriptifs autres que des arguments de vente généraux et trop subjectifs (grand standing, très coquet), le prix (ou le rapport surface-prix), le nombre et la destination des pièces d'habitation. Cette définition en négatif du confort est sans doute relativement arbitraire mais elle est suffisante pour effectuer ce type d'analyse.

On invitera les élèves à repérer la mention de caractéristiques comme :

— la nature des matériaux (maison en pierre, pierre de taille, marbre),
— la décoration (décoration paille japonaise),
— les dépendances (garage, cave, grenier, cellier, office),
— les espaces extérieurs (balcon, loggia, véranda, jardin, jardinet planté, etc.),
— l'orientation (vue sur Marne, vue sur Monbazillac, vue panoramique face à la mer, vue imprenable ;

et de qualités comme :

— l'exposition (soleil, ensoleillé, clair),
— le calme,
— la proximité d'un cadre naturel (verdure, vue parc).

Après cet inventaire, on fera classer ces éléments qui constituent aux yeux des Français de 1980 le confort et on en dégagera les traits essentiels, éventuellement par comparaison avec les représentations qui ont cours dans le pays de l'élève.

5 *Quelques tendances actuelles*

a) Les villes nouvelles : on pourra discuter de cet effort d'un urbanisme nouveau à partir du texte de présentation extrait d'une brochure publiée par la préfecture de la Région d'Ile-de-France :

Pour les comprendre[1]

La première approche des villes nouvelles a de quoi déconcerter. Ce vocable de « ville » fait qu'on les cherche d'abord du regard, alors qu'elles ne peuvent être embrassées d'un seul coup d'œil dans leur totalité, même d'un point élevé. Lorsqu'on dépasse le panneau indicateur portant le nom de l'une d'entre elles et que l'on continue pourtant à rouler dans la campagne, on ne sait si on en a vraiment franchi le seuil. Les noms des communes qui apparaissent aux carrefours, souvent plus familiers que celui de la ville nouvelle elle-même, contribuent à dérouter. Enfin, face à des réalisations aujourd'hui encore inachevées, le visiteur doit « deviner » l'image du puzzle complet, alors qu'il en manque des morceaux.
C'est à lui qu'est destiné ce livret. Il n'est ni un manuel d'urbanisme, ni un guide touristique complet, mais une clef pour celui qui, disposant d'un peu de temps, souhaite explorer l'une des cinq villes nouvelles en cours de réalisation à une trentaine de kilomètres autour de Paris : Cergy-Pontoise, Évry, Marne-la-Vallée, Melun-Sénart, Saint-Quentin-en-Yvelines.
L'expression de « ville nouvelle » est en effet trompeuse, car aucune d'entre elles ne tend à devenir une agglomération unique, cernée par un boulevard extérieur d'où l'on apercevrait le clocher de la cathédrale. Chacune d'elles en revanche sera, à son achèvement, constituée par une constellation d'agglomérations urbaines de 20 000 à 40 000 habitants, séparées par d'importants espaces verts, voués à la nature, à l'agriculture ou aux loisirs. Parmi ces agglomérations, qui se forment souvent en prenant appui sur un bourg ancien, il y en a une qui joue, par rapport aux autres, un rôle analogue

1 Extrait d'une brochure de présentation des Villes nouvelles, publiée par la préfecture de l'Ile-de-France.

à celui du centre dans une ville traditionnelle, en cela qu'elle accueille les grands équipements qui caractérisent le centre des villes importantes : la préfecture, l'hôtel de ville, le théâtre et les grands magasins.
C'est *l'ensemble* s'étendant sur plusieurs milliers d'hectares, formé par ces agglomérations — pour parties anciennes, pour parties nouvelles — et par leurs espaces intermédiaires qui porte le nom de « ville nouvelle ».
La création de ces cinq villes nouvelles a été décidée en 1965 par l'État et les instances régionales, en vue d'éviter que ne s'effectue, dans les départements de la grande couronne, qui connaissent une croissance très importante de leur population, une urbanisation anarchique à l'exemple de ce qui s'est produit dans la proche banlieue, sous la pression des besoins en logements. Un tel regroupement de l'habitat en des points préalablement choisis autour de la capitale est apparu en effet nécessaire pour assurer aux résidents un bon niveau d'équipements collectifs, ainsi que des possibilités de travail sur place. Il est en outre la condition de la sauvegarde des espaces agricoles et forestiers de la région.
Depuis le recensement de 1968, plus de 240 000 nouveaux habitants se sont ajoutés à la population des villes et bourgs anciens inclus dans leur périmètre. Ils devraient être, ensemble, entre 200 000 et 300 000 habitants par ville nouvelle à la fin du siècle. Dans celles dont la réalisation est la plus avancée, une personne sur deux travaille sur place ; l'autre, par choix ou parce qu'elle n'y trouve pas encore l'emploi qui lui convient, emprunte, pour travailler à Paris ou dans la proche banlieue, un réseau de communications autoroutier et ferré aujourd'hui en cours d'achèvement. Progressivement — les sondages effectués pour les villes d'Évry et de Cergy-Pontoise l'ont montré — l'ensemble des habitants de la grande couronne parisienne et des villes nouvelles bénéficient de plus en plus des possibilités de loisirs, de sports, de commerces, dont les villes nouvelles sont pourvues. Ils sont enfin de plus en plus nombreux à vouloir peser sur les destinées de ces villes, dans le cadre de maintes associations et par le biais des syndicats de communes qui partagent aujourd'hui avec l'administration la responsabilité de la construction des villes nouvelles. Pour savoir, enfin, ce que pensent de leur ville ceux qui ont connu la boue des premiers chantiers, on ne saurait mieux faire que d'aller les voir, sur place.
Il faut encore savoir que les villes nouvelles se visitent à pied. Certes, il est utile, en raison de l'étendue du territoire de chacune d'elles et si l'on n'est pas un familier de leurs autobus, de prendre sa voiture ou sa bicyclette pour appréhender l'ensemble de leurs réalisations. Mais l'on s'exposerait à ne rien voir des villes nouvelles si l'on ne prenait pas le temps de déambuler à l'intérieur de leurs quartiers et de leurs parcs urbains.
Comment comprendre, par exemple, sans emprunter les chemins piétonniers, le parti d'architecture et le choix des couleurs effectué pour le quartier d'Évry 1 : le rôle des écoles polychromes, l'une des originalités du quartier de la Préfecture à Cergy-Pontoise ; les bassins de retenue des eaux qui agrémentent le cœur du quartier de Plessis-le-Roi, dans la ville nouvelle de Melun-Sénart. On ne pourrait rien voir non plus, autrement qu'à pied, du centre des Sept-Mares à Saint-Quentin-en-Yvelines et à peine davantage de celui de l'Arche-Guédon à Marne-la-Vallée, alors que leur visite est indispensable pour comprendre comment « fonctionne » une ville nouvelle.

b) Toujours en réaction contre le manque d'attrait des banlieues des grandes villes mais aussi pour répondre au rêve que l'on dit être celui de tout Français de posséder une maison individuelle, à la campagne si possible (voir aussi l'importance des résidences secondaires), des « hameaux » surgissent, créés de toutes pièces, là où il n'y avait que des champs.

Villages de France

Prêt PAP (demandé)

A Moissy-Cramayel 77: 294.000 F pour une maison de 4 pièce

Villages de France crée un nouveau village à Moissy-Cramayel avec de jolies maisons confortables construites en matériaux traditionnels.
Il y a des maisons de 4 à 6 pièces à partir de 294.000 F (déc 78). Financement par les "nouveaux prêts aidés à l'accession à la propriété" du Crédit Foncier (taux : 8,10%).
Pour venir à Moissy-Cramayel depuis Paris, 2 possibilités :
En voiture :
.Par la Porte d'Orléans et l'autoroute du sud jusqu'à la sortie Corbeil-Nord, direction St-Germain-les-Corbeil puis N 447 et D 402 jusqu'à Moissy-Cramayel.
.Par la Porte d'Italie, la RN 7 jusqu'à St-Germain-les-Corbeil, puis N 447 et D 402 jusqu'à Moissy-Cramayel.
.Par la Porte de Bercy la RN 5 jusqu'à Lieusaint, puis D 402 jusqu'à Moissy-Cramayel.
En train :
Gare de Lyon direction Melun jusqu'à la gare de Moissy.

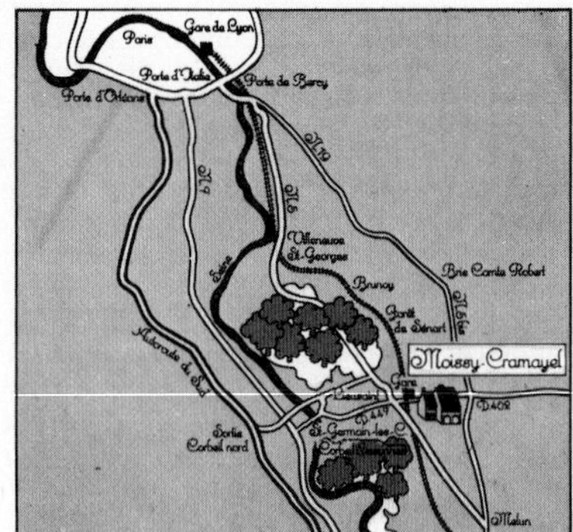

BON A DÉCOUPER
Je souhaite recevoir sans aucun enga de ma part, une documentation com sur Moissy-Cramayel.

Nom ______

Adresse ______

Envoyer ce bon à GEFIC
4, place d'Iéna - 75116 Paris.
Renseignements et vente sur place tous les jours sauf le mercredi et jeudi, de 14 h à 19 h samedi et dimanche de 10 h à 19 h ou GEFIC.

72

On pourra faire deviner quelques-uns des inconvénients de ces lotissements : aucun brassage social, absence d'infrastructure urbaine (voies d'accès, transports en commun, centres commerciaux, etc.) et d'équipements sociaux (piscines, terrains de sport, clubs de jeunes), éloignement du lieu de travail, etc. On pourra comparer avec ce qui se passe dans le pays de la langue maternelle.

6 *Accession à la propriété*

On fera commenter le tableau (pp. 52 et 53) des données statistiques de l'I.N.S.E.E. et plus particulièrement les chiffres des colonnes « propriétaires non accédants » et « accédants à la propriété ».

Au 1er avril 1979, le SMIC (salaire minimum interprofessionnel de croissance) est de 11,60 F de l'heure ou 2 018,40 F par mois (sur la base de 174 heures mensuelles de travail). Compte tenu du prix des logements, on pourra calculer ce que représente l'achat d'un logement en proportion du salaire annuel et comparer avec le pays de la langue maternelle.

TABLEAU 125

Caractéristiques du logement selon la catégorie socio-professionnelle du chef de ménage (1973)

Proportion de ménages occupant un logement...	Récent [1]	Individuel [2]	Confortable [3]	Surpeuplé [4]	Réparti des mén
Agriculteur exploitant	12,3	91,6	35,4	22,3	5,5
Patron	37,6	61,8	69,9	16,3	6,8
Inactif	23,9	56,0	41,9	16,4	31,4
Salarié agricole	20,9	82,4	40,1	29,9	1,1
Personnel de service	40,8	32,0	55,8	35,3	2,7
Autre actif	59,1	29,9	82,0	19,1	2,0
Profession libérale et cadre supérieur	65,5	38,9	95,6	9,4	6,3
Cadre moyen	65,0	36,6	88,7	16,4	9,5
Employé	56,5	32,0	75,0	26,5	7,3
Ouvrier	49,9	45,5	64,3	31,0	27,4
Ensemble des ménages	**41,3**	**49,9**	**61,0**	**21,7**	**100,**

1. Achevé après 1948.
2. Immeuble comprenant un seul logement d'habitation.
3. Logement ayant WC intérieurs et installations sanitaires.
4. D'après la norme INSEE utilisée dans les recensements.

Source : INSEE, enquête logement, 1973.

Données sociales, I.N.S.E.E.

3LEAU 126

tut d'occupation selon la catégorie socio-professionnelle du chef de ménage (1973)

En %

Proportion de ménages...	Locataires [1]		Logés gratuitement [2]	Propriétaires non accédants	Accédants à la propriété [3]	Total
	ensemble	dont HLM				
griculteur exploitant	2,5	*0,1*	26,3	56,4	14,8	100,0
tron	34,5	*2,9*	4,9	35,1	25,5	100,0
actif	34,5	*6,3*	12,8	48,1	4,6	100,0
larié agricole	27,9	*2,7*	41,7	18,7	11,7	100,0
rsonnel de service	55,4	*15,2*	18,5	14,8	11,3	100,0
itre actif	51,2	*15,1*	30,1	5,2	14,5	100,0
ofession libérale et cadre supérieur	41,5	*5,6*	8,0	16,3	34,2	100,0
adre moyen	37,1	*14,7*	9,9	10,3	29,7	100,0
nployé	58,3	*20,6*	7,6	12,9	21,2	100,0
uvrier	55,7	*18,7*	7,7	14,3	22,3	100,0
Ensemble des ménages	**43,0**	***11,3***	**11,5**	**28,1**	**17,4**	**100,0**

1. Y compris les ménages logés à titre payant par l'employeur.
2. Y compris les fermiers et métayers.
3. Propriétaires en cours de remboursement d'emprunts.

Source : INSEE, enquête logement, 1973.

A Paris, la majorité confort sa position dominante

Le scrutin du 19 mars modifie, au profit de la majorité, la répartition des trente et un sièges de la capitale. L'opposition qui avait sept représentants, tous communistes, n'en a plus que quatre (trois P.C. et un P.S.).

La majorité cède un siège, mais elle en reprend quatre. Le R.P.R. continue d'occuper une position dominante avec dix-sept élus, dont deux au premier tour (MM. Tibéri et Frédéric-Dupont). Les quatre duels entre les candidats gaullistes et ceux de l'U.D.F. ont tous tourné à l'avantage des premiers (MM. Bas, Couve de Murville, de Préaumont et Druon). L'U.D.F. compte désormais sept représentants. Enfin, trois élus étaient présentés par l'ensemble de la majorité dès le premier tour : MM. Paul Pernin (C.D.S.), Pierre de Bénouville (D.C.) et Jacques Féron (C.N.I.P.).

L'ampleur du recul de la g che, qui est placée dans une sit tion moins favorable qu'en et en 1973, accentue une co tante du paysage politique p sien : le rapport des forces a l'opposition continue d'être gement favorable à une majo au sein de laquelle le R.P.R. c serve sa prééminence.

Quelle qu'ait été l'ampleur changements démographiques sociologiques intervenus dep vingt ans, ils n'ont pas aff les frontières séparant les b tions conservateurs de l'Ouest points d'ancrage de la gau situés à l'Est mais aujourd limités aux treizième, dix-n vième et vingtième arrondi ments....

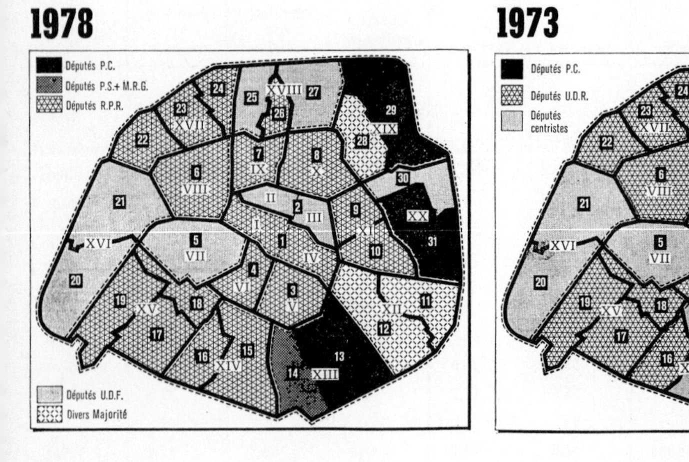

Le Monde, dossiers et documents, Les élections législatives 1978.

LA FRÉQUENTATION DU CAFÉ

On est souvent amené, quand on traite d'un problème de civilisation, à utiliser des informations globales ou de synthèse. Dans des dossiers constitués sur thème, ces informations sont d'ailleurs nécessaires si l'on désire aborder une question de manière non impressionniste, ce qui ne peut se faire qu'avec des élèves possédant une certaine compétence linguistique, une capacité même réduite à analyser les statistiques et une maturité suffisante pour réfléchir sur les phénomènes culturels.

Elles impliquent des démarches pédagogiques sans doute austères mais qui n'intéressent qu'une partie d'une unité didactique qui contiendrait par ailleurs des documents plus directement motivants (réalités quotidiennes, témoignages, reportages, etc.).

Ces informations globales peuvent prendre la forme de données numériques, soit reconstituées *ad hoc* par l'enseignant, soit directement extraites d'ouvrages spécialisés et intégrées dans le matériel didactique. En outre, l'utilisation d'informations de ce type comporte un certain nombre d'aménagements à caractère pédagogique, par exemple : simplification des données par une réduction du nombre des variables, ou présentation d'un tableau sans le commentaire écrit qui l'accompagne dans le document dont il est extrait. On proposera ici, à partir d'une enquête effectuée par l'I.N.S.E.E., des stratégies permettant l'accès à la compréhension de données de cet ordre sous leur forme originelle. Nous avons retenu l'analyse portant sur *la fréquentation du café*[1] tout autant pour le thème qu'elle aborde que parce que la démarche proposée est transférable à d'autres comptes rendus d'enquêtes sociologiques[2].

1 Collections I.N.S.E.E., Données Sociales Ménages, Édition 1978. Chapitre V : Socialisation et pratiques culturelles. Section Loisirs et pratiques culturelles, page 325 et suivantes.

2 Pour une analyse générale des rapports entre données numériques et commentaire sociologique, cf. J.-C. Beacco, M. Darot : *Pour lire les sciences sociales : une analyse de discours 1.* Chapitre V : Les éléments non discursifs. Paris, B.E.L.C., 1978, multi.

Compréhension des données non discursives

Les résultats de cette enquête sont consignés dans trois tableaux qui font l'objet d'un commentaire discursif. La compréhension des tableaux, qui nécessite une compétence linguistique réduite, servira de moyen d'accès au texte lui-même.

1 *Identification du contenu des tableaux*

A partir de l'élucidation du titre *La Fréquentation du café,* on fera préciser le type d'information recueillie en fonction du libellé de chacun des tableaux. Ces **titres** de tableaux, qui se présentent sous la forme d'un syntagme nominal, comportent l'énoncé des paramètres considérés :

Fréquentation du café par les hommes actifs			
selon... (paramètre 1)	en fonction de... (paramètre 2)	par... (paramètre 3)	autres... (paramètres x)

On pourra faire identifier les **entrées** du tableau à partir des éléments du titre repris dans celui-ci, par exemple : hommes actifs, revenus, diplôme.

De la même manière, on utilisera les relations de synonymie, par exemple : catégorie sociale (titre), classes (tableau).

Enfin on se servira, pour l'élucidation de chaque paramètre en particulier, de la **désignation de l'ensemble** dans lequel il est rangé, par exemple : *classes* populaires, moyennes, supérieures ; *revenus* moins de..., de ... à, etc., en remarquant que chacun d'entre eux s'insère dans un ensemble organisé dans un ordre croissant, par exemple : pas de diplôme... diplôme d'études supérieures.

Il restera éventuellement quelques éléments à expliquer : abréviations (CEP, BT, etc.) ou lexique propre à l'objet de l'enquête : activités au café : consommation, discussion, jeux, télévision.

La fréquentation du café

Aller au café implique des relations avec autrui, plus ou moins involontaires quand la personne se contente de consommer, mais certainement volontaires dans les autres cas, plus nombreux qu'on ne pourrait le supposer : presque la moitié des personnes interrogées déclarent comme occupation principale au café non pas la consommation mais le jeu ou la conversation.

La fréquentation du café est une pratique de la vie active : le taux de visite au café augmente nettement pour les jeunes quand ils entrent dans la vie active, puis décroît régulièrement avec l'âge jusqu'à celui de la retraite, marquée par un abandon très net de la fréquentation.

L'image du café comme lieu de divertissement populaire n'est pas sans fondement. Les hommes actifs vont effectivement d'autant plus souvent au café qu'ils appartiennent à des milieux plus modestes. Cette sur-fréquentation peut s'expliquer par diverses raisons (désir plus faible de réintégrer un domicile de moindre qualité par exemple), mais ces raisons sont sans doute secondaires. En fait, la fréquentation du café paraît dépendre étroitement des normes culturelles du groupe social auquel on appartient.

Dans les classes populaires, dont le représentant typique possède un faible niveau de ressources et de diplôme, la fréquentation importante du café est la règle. Augmenter le niveau des ressources d'un individu lui permet de mieux satisfaire cette règle. En revanche, dans les classes supérieures, dont le représentant typique a un niveau élevé de revenu et de diplôme, la règle serait plutôt de peu fréquenter le café. Plus l'individu est proche du représentant typique de son groupe, mieux il se conformera à la règle : cela explique que la fréquentation du café diminue pour les personnes de cette classe sociale quand le niveau de leurs ressources s'élève. Dans l'un et l'autre groupe, la norme culturelle l'emporte (tableau 255).

Les normes culturelles qui régissent la fréquentation du café dépendent du milieu social. On peut en exprimer certains aspects par une règle générale — on ne fréquente que des pairs — dont nous montrerons l'importance d'une manière indirecte (car les caractéristiques des cafés fréquentés ne sont guère connues au travers de l'enquête).

Le niveau de fréquentation des hommes actifs de classe populaire dépend peu de la catégorie de

1. Cf. par exemple, R. Blood : *The family*, New York, 1972 et P. Fougeyrollas : « Prédominance du mari ou de la femme dans le ménage », *Population*, 1951, n° 6.

TABLEAU 255

Fréquentation du café [1] par les hommes actifs en fonction de leur catégorie sociale, par niveaux de diplôme et de revenu

	Hommes actifs			
	Classes [2]			
	Populaires	Moyennes	Supérieures	Ensemble
Revenus				
Moins de 6 000 F	45,1	32,4	–	36,5
De 6 000 à moins de 15 000 F	61,7	57,0	58,3	59,6
De 15 000 à moins de 30 000 F	62,8	56,6	52,0	58,8
De 30 000 à moins de 50 000 F	65,3	47,1	53,1	50,1
De 50 000 et plus	–	–	49,4	57,9
Total	**61,5**	**57,7**	**50,4**	**57,9**
Diplôme				
Pas de diplôme	64,0	52,1	–	60,9
CEP, CAP	58,3	62,7	–	60,0
BEPC, BEPS et assimilé	55,4	43,8	54,8	47,6
BAC, BT	–	47,7	62,3	52,1
Diplôme d'études supérieures	–	38,1	35,8	37,2
Total	**61,5**	**57,7**	**50,4**	**57,9**

1. Proportion, dans chaque catégorie, de personnes déclarant aller au café au moins une ou deux fois par mois.
2. Pour précisions sur les regroupements opérés pour définir ces « classes », voir encadré page 323.

Source : INSEE, enquête « Loisirs », 1967.

commune de résidence (tableau 256). Au contraire, cette fréquentation croît fortement avec le niveau d'urbanisation pour les hommes actifs de classe supérieure. Ces écarts de comportement entre les uns et les autres peuvent sans doute s'expliquer par la plus ou moins grande diversité des cafés disponibles en zone rurale et urbaine.

Dans les petites localités, le café accueille massivement les ouvriers et agriculteurs qui constituent la majorité de la population masculine. Les membres des classes supérieures s'en tiennent à l'écart. A mesure que croît la taille de la commune, et donc la diversité de l' « offre » de cafés, les membres des classes supérieures peuvent trouver des lieux qui leur conviennent : ils accroissent alors leur fréquentation.

Pour qu'un individu fréquente un café, il faut que celui-ci lui convienne. En particulier, il faut qu'il y trouve des personnes dont il accepte et qui acceptent ses modèles de comportement. De même que le niveau de la fréquentation varie suivant la diversité des lieux disponibles, les formes de cette fréquentation dépendent du réseau de sociabilité où chacun s'insère.

Consommer n'est pas la seule, ni même la principale activité des personnes qui vont au café. L'examen des réponses à la question « que faites-vous? » montre que les occupations de chacun varient suivant son milieu social. C'est que l'usage du café n'est pas le même pour chaque groupe : dans un cas, le café est un lieu privilégié, essentiel pour établir des contacts avec autrui; dans l'autre, il est un lieu accessoire, endroit où peuvent se manifester des relations déjà existantes (tableau 257).

Dans les classes populaires, la discussion apparaît en association avec les activités de jeu : l'une

TABLEAU 256

Fréquentation du café par les hommes actifs, en fonction de leur catégorie sociale, selon la taille de la commune de résidence.

En %

	Hommes actifs		
	Classes		
	Populaires	Moyennes	Supérieures
Commune rurale......	64,1	62,5	26,4
Unité urbaine de moins de 5 000 habitants....	60,0	63,3	n. s.
Unité urbaine de 5 000 à 20 000 habitants....	57,7	63,2	22,6
Unité urbaine de 20 000 à 100 000 habitants...	56,8	47,8	32,6
Unité urbaine de 100 000 habitants et plus....	62,2	44,5	65,4
Paris et agglomération parisienne...........	64,2	54,7	65,7
Total	**61,5**	**56,5**	**46,5**

Source : INSEE, enquête « Loisirs », 1967.

et l'autre occupation sont de moins en moins citées par les hommes actifs de ces catégories quand le niveau de leur diplôme s'élève. On peut se demander s'il n'y a pas là le signe d'un usage du café comme d'un lieu familier : jouer aux cartes nécessite une certaine permanence dans la fréquentation, fréquenter assidûment le même café permet le développement de la conversation [1].

Au contraire, dans les classes supérieures, le café serait plutôt support d'une sociabilité diffuse. La conversation y est une activité privilégiée sinon unique, dont la part croît avec le niveau culturel. La fréquentation du café se fait plus aux heures des repas et n'est plus créatrice de familiarité : sans doute, fréquente-t-on ses compagnons de table, connus et fréquentés à l'extérieur du café.

Cette interprétation concorde avec l'observation des différences entre urbains et ruraux : les modalités caractéristiques de la fréquentation de chaque groupe s'accentuent en milieu rural. La part des jeux et de la discussion est plus importante dans les classes populaires, la part de la consommation est plus forte pour les hommes actifs de classe supérieure.

1. Ces extraits d'interviews d'ouvriers, cités par J. Larrue : *Loisir ouvrier chez les métallurgistes toulousains*, Paris, 1965, illustrent cette interprétation : « Les cartes ne sont qu'un prétexte, c'est pour se retrouver entre amis », « aller au café permet de se retrouver et de discuter ».

LEAU 257

ivités des hommes [1] au café, selon la taille de la commune de résidence la catégorie socio-professionnelle du chef de ménage

En %

Taille de la commune	Consommation			Discussion			Jeux			Télévision		
	Classes			Classes			Classes			Classes		
	populaires	moyennes	supérieures	populaires	moyennes	supérieures	populaires	moyennes	supérieures	populaires	moyennes	supérieures
oins de 5 000 habitants	34,3	45,7	64,6	35,8	41,5	22,8	26,8	11,8	5,5	2,8	0,1	7,1
dont : communes rurales..............	33,2	45,3	68,4	39,4	41,4	17,9	24,8	4,5	6,0	2,6	0,1	7,7
5 000 à 100 000 habitants................	48,7	51,3	45,4	27,6	34,8	47,8	20,0	12,5	6,8	3,7	1,4	0
us de 100 000 habitants	49,8	59,4	52,9	24,6	29,5	44,1	23,3	10,1	2,9	2,2	0,2	0
dont : Paris..........	64,7	67,9	60,2	21,6	25,6	38,5	12,7	5,6	1,3	0,9	0,8	0

1. Actifs et inactifs.

Source : INSEE, enquête « Loisirs », 1967.

2 *Lecture des tableaux*

On s'assurera par sondage que les étudiants interprètent correctement la valeur des chiffres établis.

— Tableau 255 (voir p. 58).

Q1 : Que représente 50,4 % ?

R : Il s'agit de la proportion d'hommes actifs des classes supérieures qui déclarent aller au café au moins une ou deux fois par mois (voir note 1 dans le tableau 255).

Q2 : Que représente 61,7 % ?

R : Il s'agit de la proportion d'hommes actifs des classes populaires dont le revenu annuel se situe entre 6 000 et 15 000 F, et qui déclarent aller au café...
etc.

3 *Hypothèses et interprétations*

A partir du travail décrit ci-dessus, et préalablement à toute lecture du texte lui-même, on invitera les étudiants à interpréter les résultats de cette étude quantitative. Pour les aider à tirer oralement quelques conclusions, on pourra leur demander de commenter soit des données globales : totaux, ensemble, soit des séries : commune de plus de 100 000 habitants (tableau 257 p. 59), discussion classes moyennes (tableau 257), soit des chiffres particuliers (0 dans la colonne télévision, classes supérieures du tableau 257), particulièrement dans le cas où ils ne s'inscrivent pas dans une tendance. Ces commentaires pourront être soit quantitatifs (plus de la moitié de), soit comparatifs (les hommes actifs des classes populaires fréquentent globalement davantage le café que les hommes actifs des classes supérieures, tableau 256, p. 59).

De ces lectures on essaiera de déduire des hypothèses explicatives du genre : pourquoi la fréquentation du café par les hommes actifs des classes populaires en vue de consommer s'accroît-elle avec la taille de la commune (tableau 257) ?

Cette phase du travail est destinée non seulement à susciter des réactions, et une réflexion personnelles sur des données statistiques mais, également, à faciliter la compréhension du commentaire proposé par le spécialiste.

Compréhension des données discursives

Les commentaires sociologiques ont principalement pour objet de décrire les résultats obtenus et de les interpréter, soit dans l'absolu, soit à partir de comparaisons.

1 *Description*

En conséquence, on s'attachera d'abord à retrouver dans ce texte les éléments descriptifs qui ont déjà été présentés sous une forme non discursive dans les tableaux numériques. La correspondance texte-tableau s'établira à partir du renvoi aux tableaux qui figurent dans le texte.

Par exemple p. 59 : « Le niveau de fréquentation des hommes actifs de la classe populaire dépend peu de la catégorie de la commune de résidence » (description de la colonne 1 du tableau 256).

La phrase qui suit dans le texte décrit de la même manière la colonne 3 du tableau.

Les éléments linguistiques qui sont mis en jeu dans ces descriptions ressortissent en particulier à des opérations de quantification : quantification non définie, comparaison.

a) quantification non définie :
— p. 57 : « ... la règle serait *plutôt de peu* fréquenter le café »
— p. 58 : « *A mesure que croît* la taille... »

b) comparaison :

— p. 57 : « Les hommes actifs vont... *d'autant plus* souvent... »

On remarquera que la partie descriptive de ce commentaire ne prend pas en considération de données ponctuelles. On n'y reprend que des résultats globaux.

2 *Interprétation*

Dans le texte, les résultats de l'analyse se présentent sous plusieurs formes linguistiques.

a) Ils peuvent être formulés, soit comme des vérités (modalité assertive), soit comme des hypothèses explicatives vraisemblables (modalités du non-certain), par exemple :

— p. 57 : « Les normes culturelles qui régissent la fréquentation du café dépendent du milieu social » (assertion) ;
— p. 58 : « Ces écarts de comportement... *peuvent sans doute* s'expliquer... » (non-certain).

b) On peut identifier ces éléments, soit par la présence d'embrayeurs comme *expliquer, raison*, etc., soit par des articulateurs logiques qui sont la trace d'un raisonnement déductif : « A mesure que... donc... alors... » (p. 58).

c) La recherche de la causalité peut s'exprimer sous forme de règles de comportement repérables directement : « On peut en exprimer certains aspects par une *règle* générale... » (p. 57) ; ou indirectement : « Pour qu'un individu fréquente un café, *il faut* que celui-ci lui convienne. » (p. 58).

Au travail linguistique proposé pour la compréhension des éléments descriptifs et interprétatifs de ce texte s'ajoutent bien évidemment les explications lexicales et syntaxiques habituelles et nécessaires pour passer d'une approche globale à une lecture plus précise du texte.

Toutefois, l'objectif n'est pas strictement grammatical mais demeure bien d'appréhender les types de causalité que propose le sociologue pour rendre compte d'un comportement culturel. Ce sont ces explications qui, à leur tour, doivent donner lieu à un débat alimenté par les conclusions déjà formulées par les élèves lors de la discussion préalable.

On pourra, en particulier, s'interroger sur les relations entre les données du sens commun et celles de l'instrumentation sociologique. Quelle validité accorder à une enquête fondée sur une question comme : « Allez-vous au café au moins une ou deux fois par mois ? » et que faire des résultats concernant les classes moyennes dont il n'est soufflé mot dans le commentaire ?

LA PUBLICITÉ ET LES VIEUX

Ce travail a un double objectif :

— d'une part, faire dégager l'image d'elles-mêmes qu'un certain type de publicité renvoie aux personnes âgées, quand il s'agit de leur vendre quelque chose ou quand on les utilise comme argument de vente ;

— d'autre part, analyser les ressorts d'une page publicitaire destinée aux personnes âgées.

On pourra en déduire un certain nombre de traits caractéristiques de la civilisation française d'aujourd'hui.

Une démarche de ce type s'adresse surtout à des apprenants d'un niveau moyen ou avancé. Si l'on a choisi plus particulièrement de proposer ici cette méthodologie, c'est qu'elle est bien évidemment transférable à une publicité visant un autre public.

La personne âgée dans la publicité

1 *L'image de la personne âgée à qui on veut vendre quelque chose*

Nous n'avons obtenu l'autorisation de reproduire ici que quelques-unes des publicités que l'on trouve dans une revue mensuelle destinée aux retraités et au demeurant fort accessible[1]. L'enseignant qui souhaiterait faire cette analyse pourra travailler directement sur n'importe quel numéro de cette publication.

a) Distribuer d'abord les documents et, en petits groupes, *établir la liste des produits qui font l'objet des publicités.* On trouve généralement :

— eau minérale,
— baume contre les douleurs,
— chaussures pour pieds sensibles,
— dépuratif,
— appareil de massage,
— produit adhésif pour dentiers,
— perruques,
— fenêtres isolantes,
— boisson tonique,
— bandages herniaires,
— culotte plastique,
— loupe.

1 *Notre Temps,* 3 rue Bayard 75008 Paris.

b) Vérifier ensuite la compréhension globale puis, en grand groupe, tracer le portrait du vieux, tel qu'il apparaît dans les publicités. On fera l'exercice oralement d'abord et par écrit collectivement :

- *Mauvaise santé générale :* idée d'un organisme qui s'use ;
- *Problèmes spécifiques :* douleurs et rhumatismes, constipation, fatigue généralisée, crainte du froid, mauvaise vue, incontinence, hernies ;
- *L'esthétique et le confort :* on n'évite ni l'embonpoint, ni la calvitie, ni la chute des dents mais on essaie de les dissimuler derrière des artifices (coupes spéciales, dentiers, perruques).

2 *L'image de la personne âgée argument de vente*

En l'absence de documents en français, on pourrait éventuellement s'appuyer, dans tout pays occidental industrialisé, sur des documents en langue maternelle. On constate, en effet, que la publicité (documents reproduits pages 66, 67, 68, 69) donne une image idéalisée de la vieillesse, et utilise un certain nombre de valeurs traditionnelles comme autant d'arguments de vente :

— les vieux respectueux de la nature et de la qualité,
— les vieux soucieux de travail bien fait et d'économie.

Faire remarquer qu'ils sont presque toujours présentés dans un monde rural (ce qui correspond aussi à la mode actuelle du retour au naturel, tant pour les loisirs que pour la consommation).

On fera ensuite retrouver dans chaque document ce qui illustre les valeurs ci-dessus.

- Document pages 66, 67 : Expérience et économie

— « ni trop ni trop peu » — goût des économies,
— « 60° seulement » — efficacité,
— « travail bien fait » — sens de la qualité.

Ce double aspect est illustré par l'image : à gauche, le passé (dessin vieillot) : peu d'eau, peu de savon ; à droite, le présent (photo d'une machine) : confort moderne *mais* « spéciale économie ».

- Document pages 68 et 69 : Expérience et nature.

Faire retrouver dans le texte l'importance du travail humain pour compléter celui de la nature et l'harmonie qui doit exister entre les deux.

L'image est l'illustration de cet équilibre en même temps qu'elle valorise la transmission du savoir d'une génération à l'autre.

- Document page 73 : Expérience et savoir-faire

Faire remarquer que, pour les desserts, ce n'est pas l'image mais le nom du produit qui évoque le troisième âge. La grand-mère (Bonne Maman) est le garant de la qualité et du naturel. Décor rustique.

La sagesse et la connaissance acquises dans une activité traditionnelle sont transférables au choix de n'importe quel produit de consommation.

La personne âgée est ici le garant de valeurs traditionnelles sécurisantes dans un monde bruyant, violent et en constante évolution.

Messieurs
Pieds sensibles
une meilleure vie
vous qui souffrez
de cors, oignons, durillons,
vous qui avez
la voûte plantaire affaissée
SAINGLAS a étudié spécialement
des chaussures pour hommes
élégantes et confortables (du 38 au 48)
CHAUSSURES
Sainglas
50, rue de Longchamp
75116 Paris - Tél. 727.06.09
M° : Trocadéro - Boissière
Autobus : 22, 30, 32, 63
faites donc comme moi
prenez
du
kario
pour retrouver
votre
énergie !...

Nos grand-mères n'aimaient pas le gaspillage. Et elles avaient raison. N'est-ce pas, Mère Denis?

Il y a beaucoup d'exagération dans la nostalgie du passé : à vouloir exalter le "bon vieux temps", on oublie tout ce que le confort moderne a apporté de bien-être dans la vie des femmes.

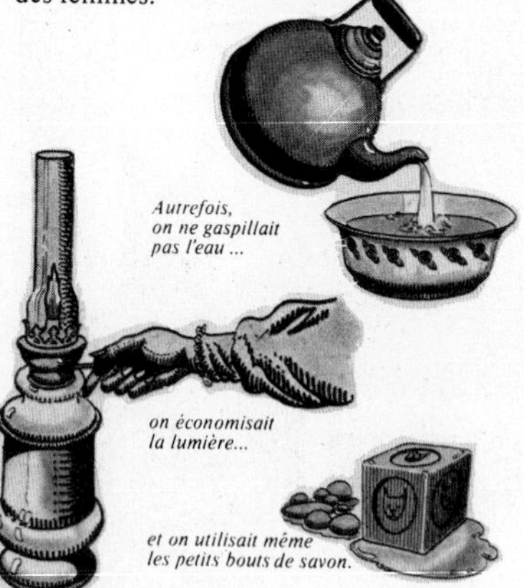

Autrefois, on ne gaspillait pas l'eau ...
on économisait la lumière...
et on utilisait même les petits bouts de savon.

Il est vrai que le progrès s'est p accompagné de petits gaspillages. Ce comptaient peu jusqu'ici. Ils pèseront d en plus lourd dans le budget d'un mé

Avec ses nouvelles machines à VEDETTE va plus loin en matière d'é mie tout en respectant la tradition des la et des rinçages bien faits.

Les VEDETTE 492 et 592 Super co tent en effet un dispositif qui délivre matiquement la quantité d'eau en fon de la qualité et de la quantité du linge à C'est-à-dire juste ce qu'il faut : ni trop, n peu.

Autre nouveauté : le programme " économique". Il permet de laver le bla 60° seulement, avec efficacité. Cela repré au fil des jours une sérieuse économie d tricité.

Là encore, avec les VEDETTE 492 e Super, tout gaspillage d'énergie est évité

On peut aimer le travail bien fait et le goût des économies.

st un sou
OUVEAU:
éciale économie
VEDETTE
VEDETTE
mérite votre confiance
skip
recommandé
VEDETTE
Bazaine Publicité

Le cidre. Patience et longueur de temps.

Le cidre, c'est un cadeau de ceux qui n'ont jamais quitté la campagne à ceux qui rêvent de la retrouver.

Avec un millier de variétés de pommes à cidre, la nature est généreuse, c'est vrai. Mais elle ne fait que la moitié du travail.

Ce n'est pas elle qui les choisit, qui les ramasse et qui réinvente chaque année le savant mélange qui dépend du soleil, de la pluie et du vent.

Ce n'est pas elle, non plus, qui les lave, les broie, qui les presse, qui en soutire le jus et qui attend que le baromètre soit au beau temps pour le mettre en bouteilles.

Heureusement, à la campagne on a le temps : un pommier peut y devenir centenaire, comme un homme, et à l'un comme à l'autre chaque année apporte un peu plus d'expérience. Le résultat, c'est le cidre.

Brut ou doux, on y retrouve tout ce que les hommes lui ont donné : leur travail, leur savoir-faire, leur vie.

C'est pour tout cela que le cidre est bon. Et qu'il le restera tant qu'il restera des hommes pour le faire et des hommes pour le boire.

Quelle boisson, aujourd'hui, peut en dire autant ?

Le cidre. Tant qu'il y aura des hommes.

Ogilvy & Mather

3 On fera trouver ce que ces images ont de caricatural dans un sens comme dans l'autre (vieux délabré *vs* vieux porteur de civilisation) et on essaiera d'en déduire quelle place inconfortable et ambiguë la vieillesse occupe dans notre société.

4 On pourra terminer ce travail en faisant connaître aux élèves ce que peuvent être les conditions de vie de la vieillesse dans d'autres civilisations que la nôtre.

Tahar-Ben Jelloun est un auteur marocain qui vit en France. Son texte, *La mort lente*, confirme ce qui vient d'être analysé.

a) Faire lire l'ensemble du texte et particulièrement la deuxième partie de l'article : *Souffrance et non déchéance.*
Faire retrouver dans ce passage ce qui différencie la vieillesse en France et dans le monde arabe, où :

— elle n'est pas une déchéance physique et sociale,
— la sagesse est dans l'âge,
— le respect aussi,
— la parole de la personne âgée est recherchée, écoutée, suivie,
— la mort n'est pas un tabou.

Qu'elle est, selon lui, la cause de cette différence ?

b) En utilisant si possible le vécu personnel des élèves, organiser un débat sur le thème : vieillir dans une société traditionnelle (monde arabe, Vietnam, Afrique) où les structures familiales demeurent encore solides et vieillir dans une société industrielle et de production. Qu'avons-nous gagné, qu'avons-nous perdu ?

Comment vend-on quelque chose à une personne âgée ?

L'objectif de ce deuxième temps de la démarche pédagogique est d'analyser les ressorts d'une page publicitaire destinée aux personnes âgées, afin de retrouver le système de valeurs et l'image de la société sous-jacente. On travaillera sur le document Serrures Points-Forts, p. 74.

1 Faire s'exprimer les *réactions des élèves* au dessin

2 *Le titre*

a) A qui s'adresse la phrase du titre ? (aux grands-parents de l'image).

b) Qui est censé leur parler ? (leurs petits-enfants). Faire expliciter par les élèves la relation entre « grand-père, grand-mère » et « nous ».

c) En fait, qui s'adresse aux personnes âgées ? (le fabricant de serrures Points-Forts). Faire expliciter par les élèves l'*identification* du publicitaire aux petits-enfants et le sous-entendu qu'elle entraîne : vos petits-enfants s'inquiètent pour votre sécurité parce qu'ils vous aiment ; nous, fabricants de serrures de sécurité, nous vous aimons aussi.

La mort lente

Dans quel territoire la vieillesse n'est pas cette décomposition lente, cette solitude absolue et profonde que subit avec rage et lucidité Clive, le personnage du film d'Alain Resnais, Providence ? L'homme qui voit son corps l'abandonner et le trahir, dit simplement : « Je suis contre la mort ! » *En fait, il s'oppose, non pas à la mort, mais à l'itinéraire, aux chemins et aux formes qu'elle prend. Comme dit Resnais,* « le plus grand problème, c'est l'état dans lequel on meurt (1). » *C'est aussi l'état dans lequel on vieillit.*

La civilisation industrielle — qui n'épargne pas d'ailleurs le tiers-monde — est ainsi faite : les personnes qui tardent à mourir sont envoyées à l'asile. Tel est le calcul froid et égoïste de la société marchande. Une personne qui ne peut plus être rentable est écartée de la vie, séparée de sa mémoire vivante. Elle devient encombrante. On l'isole On la laisse, livrée à l'angoisse et à la souffrance, dans une solitude qui fait honte, une solitude indigne de ce qu'on appelle la civilisation. En outre, la réclusion ne suffit pas ; on lui interdit de disposer de sa mort.

SOUFFRANCE ET NON DÉCHÉANCE

Une culture, une civilisation, se mesurent par la place qu'elles réservent aux personnes âgées. Au Vietnam, en Afrique, dans le monde arabe, on peut dire qu'il n'existe pas de troisième âge. Si vieillir est une souffrance physique, elle n'est pas une déchéance psychique et sociale. Au contraire, la sagesse est dans l'âge. Le respect aussi. La parole de la personne âgée est recherchée, écoutée, suivie. La mort n'est pas un tabou. Non seulement on en parle, mais on s'y prépare, et parfois de façon folklorique. Que d'hommes et de femmes qui préparent leur propre linceul ! Certains recueillent les messages des vivants à transmettre là-bas, au ciel, à Dieu ou à son prophète. On prend les devants : aller vers la mort plutôt que de la laisser vous ronger et vous détruire lentement.

J'idéalise peut-être (2). Mais je sais que le jour où le système industriel aura complètement envahi ces sociétés, la vieillesse ne sera plus sagesse, mais mort lente et inexorable, dans la solitude et la déchéance.

TAHAR BEN JELLOUN.

---

(1) *Les Nouvelles littéraires*, n° 2571.

(2) Déjà le mode de l'habitat dans les villes (H.L.M. et appartements) perturbe ces traditions. L'espace manque. Il y a de moins en moins de maisons traditionnelles, c'est-à-dire ouvertes et réunissant toute la famille. L'architecture citadine des jeunes technocrates occidentalisés manque en fait de **générosité et d'imagination**.

Le Monde, *20-21 février 1977.*

On retrouve ici un raccourci et un appel au sentiment propres au message publicitaire.

3 *Le texte*

a) Premier paragraphe : pourquoi « des grands-pères et grand-mères » et non pas « des gens âgés » ? Sait-on qui parle ici ? Faire remarquer l'absence de réalisation linguistique du sujet énonciateur et la valeur généralisante de l'impersonnel : « c'est à en mourir de honte. »

Faire remarquer aussi :

— la progression « attachés, rançonnés, brutalisés »,
— la métaphore « à l'automne de leur âge »,
— l'euphémisme « se battre contre des voleurs »,
qui concourent, en accord avec l'image et le titre, à l'aspect feutré de ce message.

b) Deuxième paragraphe : des faits, renforcés par l'utilisation d'un vocabulaire spécialisé : *verrou, condamne une porte, cinq endroits, blindée, acier spécial, deux cylindres de haute sûreté.*

c) Troisième paragraphe : les informations pratiques sur le publicitaire.

Cette publicité joue sur l'impact affectif d'un conseil donné par l'intermédiaire de gens qu'on aime. On ne vend pas ; on essaie de rendre service, d'éviter des chagrins et des ennuis. On protège le faible (mais prévoyant) dans une société de violence et d'insécurité.

Claudine GIROD
Simonne LIEUTAUD

DES ANNONCES AU JOURNAL : *LIBÉRATION*

Libération[1] est un quotidien parisien d'opinion, de création postérieure à 1968 qui, tout en assurant sa mission d'information, se veut le porte-parole des « inorganisés ». Créé par souscription, il assure son fonctionnement sans avoir recours aux recettes publicitaires. Il a imposé un style qui s'inscrit dans la tradition de *Charlie-Hebdo* et, pour les petites annonces, de *Actuel* (mensuel) avec tout ce que cela comporte d'invention linguistique et de disponibilité dépassant le cadre d'une idéologie partisane (et plus précisément d'un parti politique). Cette position, dans l'éventail de la presse quotidienne parisienne, est relativement originale : elle rompt avec des habitudes bien établies et tente de répondre aux besoins culturels des générations nouvelles dont le journal reflète en partie la sensibilité et partage les références. En somme, *Libération* a su se donner un style nouveau et s'est ainsi créé un public.

Ce quotidien est encore peu connu à l'étranger. On tirera parti de cette situation pour se livrer, à propos de ce journal, à un travail de réflexion sur la presse, qu'il est impossible de mener avec des journaux à la notorité mieux établie *(Le Monde, Le Figaro).* On peut en effet sensibiliser des apprenants au style de *Libération* non par une lecture directe — ce qui reste toujours possible mais présente des difficultés — mais par un travail d'extrapolation, c'est-à-dire par une véritable construction du savoir culturel. L'hypothèse qui permet cette recherche est la suivante : on peut poser raisonnablement qu'entre les petites annonces d'un journal et le journal lui-même, il existe un certain isomorphisme. Cette relation de similitude est, en effet, celle qui tend à s'instaurer entre les lecteurs et l'équipe de rédaction : on supposera facilement que les préoccupations du public (telles qu'elles apparaissent dans les annonces classées de tous ordres), et les centres d'intérêts majeurs qu'on peut déceler à la lecture du quotidien sont plus ou moins identiques (coïncidence qui

---

1 *Libération*, 30-32 rue de Lorraine — 75019 Paris. Tél. : 202.90.60. Il est à noter que, étant donné le succès de ces annonces, un grand nombre d'entre elles paraissent désormais dans un supplément, vendu le samedi avec le journal, et intitulé *Sandwich.*

constitue la condition de la réussite commerciale). Sans doute un quotidien influence-t-il son public mais il se crée aussi à l'image de celui-ci. Cette implication dialectique permet donc de considérer que les petites annonces sont un lieu d'observation privilégié, pour qui sait les interpréter, où peut se mettre en évidence la spécificité d'un quotidien comme *Libération*. Une analyse fondée sur ces données ne saurait être exhaustive mais elle permet une approche active des contenus de ce journal.

Démarche pédagogique

1 Expliciter au préalable la relation précédente : identité partielle du journal et de son public telle qu'elle peut transparaître à travers des rubriques comme le courrier des lecteurs ou les petites annonces.

2 Faire lire une page des petites annonces de *Libération* (cf. extraits p. 77 et exemples suivants[2]).

3 Faire rechercher dans ces textes des indices permettant de caractériser les lecteurs et leurs intérêts.

4 Discuter des hypothèses que de tels indices permettent d'établir à propos du journal.

5 Les vérifier, si possible, par la lecture d'extraits du journal (ou, à défaut, par un apport d'informations de synthèse. Cf. document annexe pp. 85, 86, 87).

Indices

Ils sont donnés ici dans un ordre arbitraire qu'on ne s'attachera pas à suivre dans la démarche pédagogique.

1 *Public : âge*

Les annonceurs de *Libération* semblent en général être jeunes. Informations directes : j'ai 20 ans... (5049); j'ai 25 ans (5065). Repérage global : jeune réalisateur.. (2360). Indications indirectes : (j'ai) une petite fille de 6 ans (1908). Classe d'âge : de 18 à 35 ans environ.

2 *Public : milieu socioculturel*

Jeunes étudiants, chômeurs vivant d'expédients ou exerçant des métiers considérés comme peu rentables : je voudrais partager avec toi le soleil (...) et éventuellement du travail (1913). Mon prof de guitare me coûte trop cher... (2358). Jeune réalisateur fauché (2360). Éducateur (5060). Je tisse et essaie d'en vivre...(5053).

---

2 On ne peut reproduire ici que quelques exemples. L'enseignant se procurera des pages de **Petite z'annonces** qui lui permettront de retrouver les indices proposés.

etite z'annonces

2 ECHANGE 2 grandes
es + grande cuisine +
nde SDB rdc + cave 700F/
s ni avance ni rien métro
Moquet contre 1 grande ou
ièces cuisine salle d'eau
che dans 12, 13, 14 15, 5, 6
arrt HDB

3 TERRAIN Besoin d'ar-
t vends terrain en Ariège
on de Foix très bien situé
10 000F superficie 10 a 45
angement possible pour
ement
BE-
RS

4 CANAL ST MARTIN 4
es à louer libre début
embre 100 m2 tél très clair
0 F/mois tél le matin

5 STUDIO. Echange joli
dio neuf dans le 11e 750 F
contre location 2 pièces Paris
banlieue proche loyer ancien

7 PARTAGE. Mec 24 ans
tage pavillon à
de Melun 77 avec mec
pa 350 F chacun

8 CHAMBRE. Offre cham-
tout confort à fille sympa en
ange conduire et reprendre à
ole une petite fille de 6 ans +
lques gardes (à voir en-
ble)

9 ECHANGE super ap-
t. à Juvisy S/Orge 70 m2
0 F/mois face Seine contre 2
es cuisine pas trop tarte à
is

3 PARTAGE. Je voudrais
tager avec toi le soleil la mer
solitude et mon apprt. éven-
lement du travail

Boulot

9 GARÇON. Cherche un
çon pour s'occuper quelques
res par jour de mon fils 15
handicapé physique nourri
é un peu d'argent

0 RITE THEATRAL Je
rche des interprètes drama-
ues au lyriques pour une
vre traditionnelle d'inspira-
n celte. Expérience minimale
uise conditions matérielles
ficiles

2358 COURS. Mon prof de guitare me coute trop cher cherche quelqu'un pour cours guitare classique quasi débutante très sérieuse la musique est une de mes raisons de vivre

2359 PROF On a besoin urgent d'un prof de math physique niv terminal et d'un prfo de dessin d'art et musique (handicapées bienvenues) tél Daniel ou Patrice

2360 FIGURANTS. Jeune réalisateur fauché cherche figurants de toutes sortes pour une manifestation tournage dans la forêt de Rambouillet le vendredi 15 sept. Il y aura un buffet un dédommagement de 50 F vous serez emmenés en car à partir d'une porte de Paris. Envoyez nous sans tarder vos coordonnées à
75008 PARIS.

Partir

3930 PARIS MADRID. Je cherche une place Paris Madrid ça urge et j'ai pas beaucoup de fric

3931 AUBENAS PARIS. Cherche une place Aubenas Paris le 8 pour la fête de l'Huma possibilité de se fixer un RDV sur la route si vous ne passez pas par Aubenas fixer un RV en laissant un message heures repas

3932 LYON BRUXELLES via Paris une place disponible en J7 part. aux frais départ aux alentours du 10 sept.

Divers Urgent

LA SAMBA. Si vous aimez la samba, c'est mieux d'apprendre le brésilien avec môa, un vrai jeune beau de là-bas. Manoel

4162 AVOCAT. Cherche avocat sympa prix Libé pour conseil et éventuelle affaire prudhomme

4163 CINEASTES vous pouvez faire votre service miliataire au titre de la coopération tél

Changer la vie

5047 PETITE IDEE. Toi la nana qui comme moi voit avec horreur arriver la rentrée qui a encore un peu envie de vivre, qui ne peut pas compter sur ses copines de bahut, et qui sait te démerder, si tu as envie de passer la fin des vacances ailleurs que dans l'ambiance de la rentrée des classes, contacte-moi, on pourra peut-être arranger quelque chose (j'ai une petite idée) ou alors peut-être as-tu quelque chose à proposer ? Snobs s'abstenir, de préférence région toulousaine. Si cela marchait, on pourrait alors prévoir une évasion plus grandiose.
Rochefort (adresse vacances).

5048 ANTI-NOUNOU. A Asnières une garderie d'enfants (en alternative aux nounous et crèches bondées) assurée par une équipe d'adultes, elle a déjà fonctionné l'année dernière. Ça redémmare en septembre et on peut accueillir d'autres enfants. Nicole Jean-Luc Agnès.

5049 DU BILLARD. Je recherche tous documents, photos etc ... sur Roland Dubillard Possibilité de correspondance si tu veux. J'ai 20 ans et je suis actuellement plutôt déprimée. Qui es-tu ?

5053 TISSAGE. Je tisse et essaie d'en vivre depuis plus de 2 ans, mais cherche à faire un apprentissage ou à travailler dans un autre atelier pour aller plus loin. Stages impossibles, pas d'argent. Suis disponible en permanence. Ecrire même pour des renseignements. En attendant la réponse d'un atelier je peux recevoir quelqu'un qui veut tisser avec moi en se dépaysant un peu (je suis dans la campagne bourbonnaise) Apporter son métier, amener ses enfants.
Allier.

5060 EDUCATEUR. Désirerait rencontrer jeunes anglais allemands suisses français et si possible s'intéressant à l'enfance inadaptée
PARIS

5065 SEUL. J'ai 25 ans j'aime la musique classique la nature

Groupe de jeunes non encore intégrés au marché du travail, marginaux ou tendant à se marginaliser eux-mêmes.

3 *Annonces : longueur*

Peu d'annonces sont données avec des abréviations, même quand celles-ci pourraient être utilisées. Par ex. : Échange 2 grandes pièces + grande cuisine + grande s. de b. rdc + cave... (1902). On pourrait avoir : éch. 2 gdes p. + gde cuis. + gde s. de b. D'autres sont d'une longueur surprenante, 5047 : 21 lignes, 5053 : 18 lignes. Ou bien les annonceurs de *Libé* sont aisés (mais voir l'indice 2) ou bien le service des petites annonces est gratuit, ce qui est effectivement le cas (aucune mention de prix dans le coupon ci-dessous).

LIBERATION SERVICE DES PETITES ANNONCES
30-32 RUE DE LORRAINE 75019 PARIS

NOM...

ADRESSE..

DATE LIMITE DE PARUTION...

TEXTE

LIBERATION. 9 et 10 septembre 1978.

Cf. prix des annonces classées du *Monde,* à la même date, la ligne :

— offre d'emploi : 52,62 F (taxes comprises),
— demande d'emploi : 12,58 F,
— immobilier : 36,61 F,
— automobile : 36,61 F.

Comment peut-on interpréter cette décision d'un journal qui refuse délibérément de tirer profit des revenus des annonces classées qui constituent dans la plupart des cas l'essentiel des ressources (avec la publicité) des grands quotidiens ? Rupture avec les schémas commerciaux courants ? Tentative d'instaurer un nouveau type de rapports entre le journal et les lecteurs ?

4 *Annonces : titres*

A la différence des autres quotidiens, on remarque que chaque annonce est précédée, non seulement d'un numéro de référence, mais aussi d'un titre. On peut faire l'hypothèse que, comme les intertitres qui ponctuent les articles des quotidiens, ceux-ci sont insérés par la rédaction (typographie différente). On peut essayer de caractériser le type d'effet recherché par ces titres, en faisant retrouver les principes qui ont présidé à leur élaboration :

a) Relation de type « métonymique » : extraction d'un élément de l'annonce (mot ou phrase).

FRINGUES. Vends fringues bon état (tuniques marocaines, pantalons, etc.) + cape toute neuve, prix à débattre. Recherche vielle à roue, bon état de marche.

PLEINEMENT. Femme trentaine. Cherche amie âge en rapport pour se réaliser pleinement. Région Puy-de-Dôme.

371. JOUENT DU SIKU. Pour petite formation folk, recherche joueur de siku, charangos, tambour et autres instrumentalistes folk Amérique Latine. Nous sommes deux pour l'instant, guitaristes, kena et flûte de pan... avis ! Il y a encore des flûtes de pan roumaines à vendre. Prix intéressants.

b) Jeux de mots. Recherche d'effets de surprise : titres intrigants et peu explicites.

CAUSE ARABE. Étudiant troisième année. Arabe littéral rencontrerait étudiant arabe (troisième cycle où à défaut deuxième) parfaite connaissance de la langue et de la grammaire classique et qualités pédagogiques requises. Pour pratique de la langue.

Peut être interprété comme : *parle arabe* ou la *cause arabe.*

DADA. Vends Fender Mustang, très bon état, 1 450 F.

Dada : mot enfantin pour cheval. Se réfère à Mustang.

IL DÉMÉNAGE. Je vais habiter à Nantes et je cherche un logement si possible dans une communauté. Qui peut me filer des tuyaux ?

Peut être interprété comme : il change d'appartement ou il devient fou.

c) Commentaires.

GIGOLPINCE. Pas beau mais viril libérable dans quelques mois. Je cherche une fille pleine de fric.

Échange sa virilité contre de l'argent.

HASCHICH, PILULE ET LSD. Jeune homme cherche correspondant (es) pour lier amitié aimant tout ce qui se rapporte à la jeunesse d'aujourd'hui.

Se réfère à la définition polémique qu'on donne de la jeunesse d'aujourd'hui.

MOI ? FOUANÇAIS. Étudiant africain licencié ès-lettres préparant maîtrise donnerait cours de français aux particuliers ou autres.

Commentaire anti-raciste, prévient la réaction ironique « naturelle » à l'idée que les Africains puissent enseigner le français.

L'ensemble crée une impression d'humour et d'ironie. On retrouvera ce style gouailleur et satirique dans le journal lui-même qui s'est, en particulier, rendu célèbre par quelques titres percutants, irrévérencieux ou cocasses :

— Paul VI conférera ce matin avec Aldo Moro.

Annonce de la mort du pape. A. Moro venait d'être assassiné quelques jours auparavant.

— Les laitues de la colère.

4 000 mexicains bloquent la production de laitue des États-Unis. Les *Spanish speaking people* seront bientôt la principale ethnie des U.S.A. (Titre intérieur - *Libération,* 27 février 1979 : allusion aux *Raisins de la colère.*)

5 *Langue : oral*

Le texte de ces annonces est peu soumis à la norme langagière puisqu'il ne semble pas filtré ou retranscrit par le comité de rédaction (comme c'est le cas, le plus souvent, des lettres de lecteurs publiées dans les magazines). Il contient de nombreux traits caractéristiques des échanges oraux « familiers ». Ces termes étant le plus souvent inconnus d'élèves étrangers, ce critère pourra être retenu comme moyen de sélection de ces items. On notera particulièrement :

SUPER UN VRAI. Cherche une correspondante super sympa pour un mec, mais alors, super, c'est vrai, super, mais super sympa (d'ailleurs c'est le copain de Robert, c'est tout dire...).

AIMANT BRUIT. Cherche nana ou mec aimant bruit musique pour partager 2 pièces cuis. et loyer 250 F/mois, glandouilleurs s'abstenir.

AIX-PARIS. Bidasse ultra fauché, cherche voiture les vendredis 24 septembre, 1er, 8 et 15 octobre pour le ramener d'Aix vers Paris ou région Ouest (Tours-Mans) départ le soir d'Aix et les dimanches 26 septembre, 3, 10 et 17 octobre dans l'autre sens pour être à Aix le lundi à 7 heures. Ne peut participer. Écrire très très rapidos.

HELLO MIKE. Vieux squatteur barbu où es-tu ? Nous arrivons.

LE SABOT, TOUJOURS LE PIED. Noël et oui, le plus beau cadeau, avoir une correspondante sincère et gentille âge indifférent, j'ai 22 ans et triste d'être à l'abandon, vite Père Noël pense à mon sabot.

GROLES. A vendre bottes cavalières tout cuir T 43 et PATINS A GLACE T 44 le tout en parfait état.

— *Mec, nana, minette, copine* qui désignent les partenaires, amis, camarades masculins ou féminins.

— *Vieux :* adjectif utilisé comme prédéterminant. Dénote une relation de familiarité sans rapport avec l'âge.

— *Super :* sert à former des superlatifs à partir d'adjectifs. On l'emploie aussi de manière absolue : c'est super. On trouve aussi : extra, ultra...

— *Le pied :* utilisé souvent dans l'expression : prendre son pied, avec une connotation érotique. La jouissance au sens large.

— *Groles :* chaussures.

— *Glandouilleurs :* instables pas sérieux.

— *En avoir marre, c'est moche,* un *tas de choses,* etc.

— *Sympa :* sympathique.

— *Homo :* homosexuel.

Des néologismes créés par emprunt à l'anglais :

— *La pop :* la musique pop.

— *Cool :* à la page, sympathique.

VITE, JE FLIPPE. Propriétaire terrien échangerait paysans moyen-pauvre contre une contradiction surdéterminée et un aspect rigoureux. Ça urge les copains.

— *Flipper :* s'emploie dans les deux sens de : être au bord de la dépression et ressentir un grand enthousiasme.

STRAIGHT. Cherche costumes taille 42 pour boulot. Straight ou minet, prix Libé ou gratis, c'est comment ton nom...

— *Straight :* classique, traditionnel dans le contexte.

GO. Y a-t-il dans la région des amateurs mêmes débutants du GO ? Ps. Bises aux go-freaks. Merci et courage.

— *Freaks :* fanatiques ; ex. : go-freaks : fanatiques du jeu de go.

BISEX. 30 ans, artiste peintre, cool, bisex libertin accepte toutes propositions, tout contact, races indifférentes.

On comparera, par exemple, avec cet extrait d'une conversation entre deux jeunes gens :

« Concert hier soir? — Oui en sortant de la tôle Max Roach. Hyperbien. Meuf accepte de venir. Connaissait déjà. — Intéressant. Public? — De vieux. Cool. Ce qui fait chier, cinquante tickets. — Concert? — Dingue (...). — Cool? — Non speed. Quelque chose de pas classique... » (*Le Monde* — 3 mai 1978).

On peut inférer de ces constatations que l'écriture des articles eux-mêmes peut se démarquer de la rédaction journalistique calibrée et sage, pour se montrer plus perméable à la réalité du langage contemporain, sans censures ni exclusives. Hypothèse à vérifier sur les textes du quotidien.

6 *Contenus : rubriques traditionnelles* (Immobilier qui devient logement, dans *Libé ;* offres d'emplois : boulot, etc.)

Ces rubriques qui concernent les échanges (achat, vente) de biens de consommation ou de prestations font déjà apparaître de nouvelles relations à l'objet, des réactions de malaise ou de rejet devant la société de consommation.

a) Logement : au lieu d'acheter ou de louer seul, on partage (du 2 pièces à la communauté), on prête et on échange.

BARAQUE. On a une grande baraque à 50 km de Toulouse ; quel couple avec enfant voudrait envisager une vie communautaire dans quelque temps si affinités ?

ÉTÉ. Cherche gîte pour une nuit chez gens sympa sur la route de Marseille-Bordeaux ; par exemple aux environs Arles, Béziers, Carcassonne. Because : je circule à vélo. Je dois partir bientôt.

2 PIÈCES. Partage deux pièces à Montmartre, 600 F chacun.

ÉCHANGE. Jusqu'au 10 janvier échangerait 3 pièces cuisine, s. de b., métro Anvers, 1 100 mensuel contre deux pièces cuisine, si possible, Tél., dans 10e, 11e, 4e, 5e, 13e arrt.

b) Objets divers : on échange tout contre tout, on donne, on prête et on vend à « prix libé », c'est-à-dire raisonnables, les articles les plus divers. Résurgences du vieux rêve d'un retour à une économie non monétaire ? Récupération contre consommation ?

WC CONTRE FRIGO. Échangerai WC complet (c'est pas une blague) fonctionnant bien contre frigo même pas neuf mais bon état de marche ou vends WC et achète frigo pas cher.

DÉMÉNAGEMENTS TRANSPORTS. On exécute tous déménagements et transports par petit camion surélevé sur Paris, banlieue, proche province. Travail sérieux. RV respectés. Prix Libé.

4L. Donne une épave à qui m'en débarrasse.

CHÈVRES. 10 chèvres alpines chamoisées pleines cherchent nouveau propriétaire, écrire ou passer.

MOB. Si un mec ou une nana possède une mobylette dont il ne se sert pas, peut-il me la prêter pour quelques jours. Ceci à seule fin de travailler et je te remercie d'avance.

c) Travail (boulot). Faire trouver qu'il s'agit d'offres et demandes de petits travaux généralement ponctuels et n'exigeant pas de compétences très spécifiques. On vit de petits métiers. Et puis, à quoi bon travailler ?

AGRANDIR ET POSER. Qui saurait en une semaine agrandir et poser une fenêtre dans gros mur de mas cévenol ?

COMMUNAUTAIRE. Logement communautaire pour une fille esprit communautaire reste une chambre dans notre appt. tout confort, à Issy ; participation : 30 F mensuel.

PLOMBERIE. Cherche plombier prix Libé pour réparation robinetterie.

POUR ARKAN. Pour s'occuper d'Arkan (4 mois) et de la maison 4 jours par semaine, cherchons fille ou garçon nourri, logé du 15.1 au 15.4.

POSE TISSU Prix sympas.

7 *Relations personnelles :* Chéri, je t'aime.

Non-conformisme à tous les niveaux. En particulier parce que les relations souhaitées ne sont généralement pas axées autour de la famille ni du couple traditionnel.

DANS L'ORDRE S.V.P. Mec sympa et analysé cherche fille super sympa sachant faire l'amour et pas la charité, pour (dans l'ordre) baiser, bouffe, discussion. Culs bénits, fausses vierges et inhibées s'abstenir.

NORMAL : mec normal cherche un autre mec normal pour ne plus l'être, barbe et tête chouette souhaitées.

SANS COMPLEXE. Homme, 30 ans, désire rencontrer J.F. (s) sans complexe pour satisfaire phantasmes communs.

PAS MAL. Jeune homme 25 ans, pas mal cherche jeunes filles femmes ou couples même âgés pour relation.

D'autres annonces traduisent des relations affectives qui vont au-delà du simple désir de trouver un partenaire et font preuve d'une attention à l'autre et d'une chaleur rarement exprimées dans les petites annonces.

MESSAGE. Mère grand à petit Freak adoré : rien encore à signaler pour ton service militaire. Écris quand même. Embrasse Bicou et Valérie, ne fais pas de bêtises !

IL CRÈVE. Alain, c'est mon frère. Il crève dans son petit coin sans rien dire à personne, mais il crève. Il est doux, gentil, intelligent, c'est un poète et un théâtreux mais voilà il est pédé... Mais quoi... c'est mon frère. Je l'aime bien. Je sais qu'il cherche un type qui pratique les arts martiaux (il débute). Il doit bien y avoir à Toulouse un karatéka ou assimilé pour l'aimer et l'empêcher de crever. Il a 24 ans. Écrivez-lui.

Libération, c'est aussi une boîte aux lettres :

MESSAGE. Martine ! Roberta est à Paris.

MESSAGE. PAGANI dit Pierrot-le-flingue, tu m'inviterais pas un soir ? EMMANUELLE.

POUR AMAR. Urgent. Veut se marier en blanc pour éviter service militaire à l'étranger. Très important. Écrire poste restante.

8 *Rubriques nouvelles :* Taulards *et* Changer la vie

C'est dans ces rubriques qu'émergent le plus nettement de nouvelles conceptions des rapports personnels et des projets sociaux dont la rubrique, « Changer la vie », multiforme et inattendue, se fait particulièrement l'écho.

a) Taulards. Annonces passées par des détenus.

FUIR LA SOLITUDE. Jeune détenu 23 ans, seul cherche correspondante pour fuir la solitude et lier amitié.

MESSAGE. Odette je ne désespère pas car la confiance que j'ai dans l'amour que je te porte est grande. N'oublie pas que je suis le père de ta fille et que nous étions heureux. Pourquoi casser notre bonheur alors qu'au mois de novembre je serai libre. Grâce au certificat de travail que j'ai réussi à avoir pour ma conditionnelle ; reviens Odette, pourquoi tout casser.

PRINTEMPS POUR UN HIVER TROP DUR. Jeune fille 20 ans, très seule désire correspondre avec jeune homme ; détention très dure et très longue à supporter.

C'EST TROP DUR : seul en cellule, seul dans la vie, abandonné de tous, je me morfonds au fond de ma cellule, écrivez-moi, je sens que je vais lâcher pied c'est trop dur ; si vous êtes seul(es), alors écrivez-moi. J'ai 30 ans.

b) Changer la vie : faire identifier et classer les éléments qui permettraient de cerner les aspirations à un autre mode d'existence. On y retrouvera, sous une autre forme, les caractéristiques des rubriques précédentes : désir de vie communautaire, de relations de couple différentes, efforts pour sortir de la société de consommation, absence de culte du travail, ouverture sur activités artistiques, sensibilité écologique...

ARTISTE. Dessinateur, peintre, sculpteur, si tu es seul(e), si tu souhaites participer dans un groupe de travail et de recherche nous t'attendons. Nous avons besoin d'une secrétaire bénévole...

POUR ÉQUILIBRER. Pour formation d'une communauté, il y a déjà 8 personnes, 2 couples, 4 gars, recherchons JF pour coucher ensemble pour tous renseignements passer ou écrire à Patrick.

ÉLUCIDATION VERBALE ET CORPORELLE. Si votre corps n'en peut plus de contenir ce qui le nie, si votre esprit s'essouffle à contenir vos sensations et se perd dans l'analyse... Élucidation verbale et corporelle de vos difficultés affectives et relationnelles, entretiens individuels, groupes hebdo, week-end à la campagne.

BELLE VIEILLE VILLE. J'ai un restaurant plus bail tout commerce à vendre dans une belle vieille ville du midi. Il y a plein de soleil, la mer est à 15 km, une cave voûtée attend les amateurs de guitare occitane et autre. J'aimerais que ce soient des végétariens qui le prennent et qu'ils profitent du bail, pour vendre des produits bio. Je possède également un appartement de 3 pièces à 100 F/mois et ça peut loger ceux qui seraient tentés par cette aventure. Conditions : 200 F/mois, je demande 50 000 F pour travaux et matériel.

BUCHER LE CAPES. Je voudrais bûcher le CAPES lettres modernes avec quelqu'un(e) pas dégoûté(e) par ancien français ou grammaire.

EAUBONNE, ERMONT... Gens d'Eaubonne, d'Ermont, de Soisy et de Montmorency, oyez, oyez ! Tous à vos vélos, allons nous promener en forêt sans rien abîmer, en écoutant, en regardant, en sentant, en aimant. N'oubliez pas votre gamelle et rendez-vous le dimanche 19 septembre devant la Mairie d'Eaubonne à 10 h.

CENT BALLES. Question à cent balles ; y a-t-il des féministes sur Versailles ? Si oui qu'elles écrivent, on a du boulot à faire et des choses à se raconter.

Ces contenus ainsi caractérisés reflètent-ils des préoccupations que l'on retrouvera dans les positions politiques et idéologiques assumées par la rédaction de *Libération ?* L'attention que celle-ci porte aux marginaux, aux groupuscules d'extrême gauche, aux actions personnelles, de groupe ou syndicales isolées (dont les autres quotidiens ne rendent que très peu compte), ses positions anti-militaristes, anti-nucléaires, etc., semblent procéder d'un même refus de certaines formes de la vie sociale française. Ainsi lecteurs et journalistes militent-ils pour un même changement, ou mieux, nourrissent-ils les mêmes rêves d'épanouissement et de libération[3].

---

3 Il nous semble utile de signaler deux ouvrages qui proposent des analyses de la société française à partir de petites annonces semblables à celles que nous avons utilisées :

— *Le Marché de la solitude,* M. Duteuil, Denoël, 1979.
— *Allo ! Libé, bobo...,* S. Nicole, Candeau, diff. Garnier, 1979.

Extrême gauche : l'autre presse

Libération — « *Libé* », pour toute l'extrême gauche — a été créé en mai 1973, après plusieurs tentatives infructueuses. Sa santé financière a longtemps inspiré les plus vives inquiétudes au point que sa parution fut, à deux reprises, suspendue faute de moyens. Lorsqu'il a refait surface en novembre 1974, sous la direction de M. Serge July, l'équipe reconstituée était décidée à réorganiser de fond en comble et la gestion et la conception rédactionnelle du quotidien, dont ce fut le grand « tournant réaliste ». Aujourd'hui, *Libération* a cessé de « vivre au-dessus de ses moyens », comme le lui reprochaient nombre de ses propres rédacteurs. D'autre part, ses ventes ont sensiblement augmenté : « L'angoisse du lendemain, c'est fini. Nous avons fait à peu près toutes les erreurs possibles, alors maintenant nous gagnons du temps. »
Depuis son récent passage à seize pages, le quotidien tire 46 000 exemplaires en offset dans une imprimerie parisienne, à partir de 23 h 30 six nuits sur sept, et en vend environ 22 000 au total en France, dont 9 400 à « Paris-surface » (contre 4 500 en janvier 1975). C'est dire que sa diffusion suffirait à le distinguer des autres quotidiens d'extrême gauche. Curieusement, le lancement de ces derniers a, chaque fois, engendré une augmentation de *Libération,* très légère mais perceptible, comme s'il se créait alors une dynamique globalement favorable à la presse « non bourgeoise » et à son principal titre qui bénéficie d'une sorte de rente de situation, comme le reconnaissent ses rédacteurs.
La principale différence entre *Libération* et les trois autres quotidiens d'extrême gauche, c'est que ces derniers procèdent directement d'organisations révolutionnaires. « Certes, explique M. July, tout journaliste est, d'une certaine façon, un militant. Mais aucun membre de l'équipe de *Libération* n'appartient à un parti ou à un mouvement en particulier. Il y a sans doute une orientation globale propre au journal, et sur laquelle nous délibérons tous ensemble, jour après jour, au comité de rédaction, mais il n'y a aucun dogmatisme. Il y a un état d'esprit, il n'y a pas de doctrine ou de ligne. »
A *Libération,* on y voit volontiers un facteur de succès ; mais plus encore, une condition indispensable à l'exercice du métier de journaliste : « Nous voulons faire un journal de reportages, de journalistes, non l'organe d'un mouvement. Parce qu'il vient à un moment où, dans le cas contraire, la doctrine l'emporte toujours sur le journalisme... »
L'équipe compte soixante personnes, dont la moitié environ de bénévoles. Au total, trente-sept rédacteurs à plein temps collaborent au journal. Des correspondants permanents sont en poste à Rome, Lisbonne, Dublin, Francfort, Barcelone, Jérusalem, Stockholm, Copenhague.
Signe de succès : la protection judiciaire qu'a longtemps constituée la présence de M. Jean-Paul Sartre à la tête du journal, très réelle au début, puis de plus en plus symbolique, est considérée aujourd'hui comme superflue. Ce qui n'exclut pas que des échanges de vues

aient lieu avec le philosophe dans certaines grandes occasions, comme, récemment encore, pour le suicide controversé d'Ulrike Meinhof. Désormais, « le parapluie qui nous protège, estime un des dirigeants du journal, c'est notre existence même, la place que nous nous sommes faite dans la presse nationale. Même si cette place est encore modeste... »
... *Libération* a dû, à plusieurs reprises au cours de son histoire, rassembler des sommes également fort importantes, sans le support d'une organisation politique. Le quotidien y a, non sans mal, sauvé son indépendance, au prix d'une réputation de perpétuel demandeur de fonds. Réputation non usurpée, à l'époque, mais à laquelle son redressement et l'amélioration de sa formule devraient avoir aujourd'hui mis un terme. Comme *Rouge,* il n'hésite pas à dépêcher des envoyés spéciaux à l'étranger lorsque les circonstances lui semblent l'exiger : ses reportages sur le Portugal, les États-Unis, le Pays Basque et la Catalogne espagnols ou le Liban ont, à certaines périodes, tenu une large place dans les colonnes du journal, et alimenté certains débats à l'extrême gauche.
Le budget actuel de *Libération* est de l'ordre de 450 000 F par mois...
... Quant à *Libération,* il publie dans son numéro du samedi ses désormais célèbres petites annonces, « seul morceau de journal, dans toute la presse, à être entièrement rédigé sans contrainte par des lecteurs... »

Un outil de contre-information

Il est vrai que *Libération* a cherché à établir avec ses lecteurs — organisés en comités ou non — un nouveau type de rapports, de même que les trois quotidiens[4] des mouvements d'extrême gauche, qui le rappellent fréquemment dans leurs colonnes. Mais, d'une manière générale, l'originalité de cette nouvelle presse quotidienne réside peut-être plus dans les rapports différents qu'elle s'est efforcée d'établir avec l'actualité que dans ceux qu'elle a pu nouer pour l'instant avec ses lecteurs. Il n'est pas très nouveau, en effet, qu'un journal, quelles que soient sa fréquence de parution ou son orientation, fasse largement appel à ses lecteurs, publie leurs témoignages ou leurs opinions, sur différents sujets. Ni même qu'il les invite à se constituer en associations locales, au sein desquelles des débats seront organisés et des idées recueillies, mais aussi un certain concours matériel apporté à la rédaction (collecte de fonds, vente bénévole, hébergement d'envoyés spéciaux, etc.) : dans des genres opposés, *Témoignage chrétien* et l'hebdomadaire d'extrême droite *Rivarol* y ont depuis longtemps, recouru non sans succès.
En revanche, *Libération* et ses émules ont réussi en quelques mois à rendre leur lecture indispensable à ceux qui souhaitent ne laisser passer aucune information sur certains sujets. A commencer par leurs confrères de plus grande diffusion, auprès desquels est joué un rôle qui n'est pas très différent, au fond, de celui d'une agence spécialisée, à charge pour eux de relayer, quand bon leur semble, cette information, fût-ce avec précautions ou réserves.
Ce n'est pas le moindre paradoxe de cette presse d'opinion par excellence que constituent les quotidiens d'extrême gauche que d'être devenue avant tout un outil d'information — ou de contre-information...
... *Libération* peut en outre se flatter de constituer, au-delà même de l'information factuelle, le reflet et l'expression d'une certaine « marginalité » française et étrangère, qui ne se manifeste pas

seulement dans ses petites annonces ou ses pages culturelles. Le miroir est sans doute un peu déformant : la diversité extrême de ces marginaux en tous genres n'est pas réductible à un seul quotidien, varié mais homogène comme l'est désormais celui de la rue de Lorraine. Du moins, près de trente mille personnes se reconnaissent-elles jour après jour, peu ou prou, dans le « phénomène *Libé* » et sa crédibilité, ses reportages, voire son « intégration » à la grande presse quotidienne nationale, ne suffisent pas à l'expliquer...

Bernard BRIGOULEIX
« Extrême gauche : L'autre presse quotidienne »
Le Monde, 21, 22, 23, 24 mai 1976[5]

---

4 *Rouge,* journal trotskiste, *L'Humanité rouge* et *Le Quotidien du peuple,* journaux maoïstes.
5 Pour une information plus complète, cf. François-Marie Samuelson : *Il était une fois,* Seuil, 1979.

NOMS DE RUES

Les noms de rues, d'avenues, de places, etc., ne constituent pas simplement une province particulière de la toponymie, un champ d'investigation intéressant uniquement les philologues, les historiens des mœurs ou les passionnés de « petite histoire ». Matériau linguistique et culturel partout présent, ils représentent une partie essentielle de cet écrit de la rue qui constitue notre horizon de lecture quotidien[1]. Boulevards et rues, baptisés, débaptisés et rebaptisés au rythme des grandes mutations ou d'événements plus ponctuels, fossilisent, strate par strate, notre passé lointain ou récent et nous renvoient une image émiettée de notre système culturel.

Plutôt qu'aux circonstances particulières qui ont présidé au choix de tel ou tel nom, ce sont ces images de notre culture, ces affleurements de nos référents culturels, que nous voudrions cerner. Ces signes sont d'autant plus riches d'enseignements que les désignations des artères de nos villes ne procèdent pas d'une action concertée et systématique : la cohérence n'en est que plus significative. On pourra ainsi mieux déterminer à partir de ces indices primaires les rapports que les Français entretiennent avec leur histoire et celle des pays étrangers (mémoire collective), faire émerger certaines des valeurs (ou des vertus) politiques que les Français partagent peu ou prou, caractériser des clivages idéologiques. L'objectif est donc d'analyser en synchronie des systèmes de représentations et non de se livrer à des recherches historiennes.

Pour ce faire, il est indispensable de disposer de guides touristiques de la France, ou d'annuaires téléphoniques (par rues), de plans d'agglomérations (où les noms des principales artères sont listés alphabétiquement) ou de tout autre document équivalent[2].

---

1 Cf. *« Lire la rue dans la rue »*, J.M. Caré et F. Debyser. *Le Français dans le Monde* 141, nov. déc. 1978.

2 Par exemple : Plan de Paris par arrondissement : guide indicateur des rues. A. Leconte éd., 38-42 rue de la Bretonnerie - 75004 Paris.

Ces activités impliquent de la part des apprenants peu de connaissances linguistiques. Elles nécessitent une compétence lexicale variée mais limitée, qu'il sera possible de constituer à mesure au coup par coup, mais elles font appel à de solides connaissances historiques ou événementielles. Si celles-ci ne sont pas satisfaisantes, on utilisera des ouvrages de référence simples *(Petit Larousse)*. En tout état de cause, on pourra proposer ces exercices à des étudiants de niveau moyen ou avancé.

Démarche préalable : typologie

Il semble difficile de caractériser les représentations, disparates mais significatives, que constituent les noms de rue, sans procéder à des regroupements qui permettent d'établir des ensembles plus homogènes. La première activité consistera donc à établir un classement de ces dénominations et à justifier les critères retenus pour une telle typologie.

1 *Villes du pays de l'apprenant*

La constitution d'une grille de classement s'effectuera le plus facilement sur une liste assez large des noms de rues d'une ou de plusieurs agglomérations du pays de l'apprenant. Travailler sur des noms plus ou moins familiers à l'étudiant permettra à ce dernier de mobiliser ses connaissances culturelles. Mais il n'est pas certain que ces tableaux soient transculturels (une grille établie pour New York ou Tokyo vaudrait-elle pour Paris ou Angoulême ?) ; une seconde typologie devra être mise en place, sur des données françaises cette fois, qui profitera de l'acquis précédent.

(Bornés nous-mêmes par nos connaissances culturelles, nous ne proposerons une typologie fine qu'à partir des noms des rues parisiennes.)

ROME
1. Noms propres
1.1. Personnages historiques : Via Cavour, Corso V. Emanuele...
1.2. Personnalités du monde des arts et des sciences : Via Macchiavelli, via Galileo Galilei...
1.3. Lieux : Piazza Venezia, via Vittorio Veneto, via Ostiense...
2. Noms communs
2.1. Concrets : Piazza Campo dei Fiori...
2.2. Abstraits : Via del Progresso...
Il doit demeurer clair que des étudiants italiens peuvent affiner davantage cette première classification.

2 *Agglomération française*

Application à des noms de rues françaises. Validation de cette grille sur des indices nouveaux. Choisir une grande ville pour disposer d'un corpus aussi étendu que possible.

PARIS

1. Noms propres

1.1.1. Noms propres, au singulier, renvoyant à des humains.
— Forme : rue (avenue...), ∅, prénom : rue Amélie (7e).
— — : rue, ∅ saint, prénom : passage Saint-Antoine (11e), square Saint-Bernard (18e).
— — : rue, ∅ nom : rue Ampère (17e).
— — : rue, ∅, prénom, nom : quai André-Citroën (15e).
— — : rue des (de l'), titre, nom : rue de l'Abbé-Grégoire (6e), rue du Commandant-Lamy (11e), rue du Docteur-Roux (15e).
1.1.2. Noms propres, humains, au pluriel : rue des Anglais (5e).

Mais il est aisé de procéder dans cette classe 1.1. à des regroupements sur des bases notionnelles plus opératoires pour les recherches à venir que les entrées distributionnelles retenues ci-dessus. On pourrait facilement indexer des sous-ensembles par des marqueurs comme : personnages du monde politique (chefs d'État, dirigeants, notables), personnages appartenant au monde des arts, des lettres, des sciences et des techniques, personnages mythologiques, relevant de l'histoire locale récente, etc., tous ces paramètres pouvant se croiser.
Exemples :

— Rue Achille (20e), passage Alexandre (15e).
— Cours Albert-Ier (8e), avenue Alphonse-XIII (16e), rue Aristide-Briand (7e), rue A. Blanqui (13e)...
— Rue A.-d'Aubigné (4e), rue A.-Chartier (15e), rue A.-Schweitzer (4e), rue A.-Paré (10e), rue A.-Messager (18e)...

1.2. Noms propres, au singulier ou au pluriel, renvoyant à des non-humains (lieux, orientations) : rue d'Aboukir (2e), square des Aliscamps (16e), place des Alpes (13e), rue d'Alsace (10e), rue d'Amiens (20e), rue d'Alger (1er), square de l'Amérique-latine (17e), cité du Midi (18e). Sous-catégorisations possibles : noms de villes, provinces, pays, champs de bataille, dénominations géographiques...

2. Noms communs

2.1. Pluriel et humain, désignant des groupes, corporations, confréries, professions... : place des Abbesses (18e), rue des Prêcheurs (1er), rue des Arquebusiers (3e), rue des Francs-Bourgeois (3e, 4e), rue des Volontaires (15e).

2.2. Pluriel et/ou singulier, non-humain, désignant des bâtiments actuels ou disparus, avoisinants ou éloignés (églises, détail architectural, édifice officiel...) : rue de l'Arsenal (4e), boulevard de la Madeleine (8e), rue des Archives (3e, 4e), rue du Moulin-Vert (4e), rue de l'Abreuvoir (18e), rue de l'Arcade (8e), rue de l'Arc-de-Triomphe (17e), place du Châtelet (1er, 4e), rue de l'Église (15e).

2.3. Pluriel et/ou singulier, non-humain, désignant des éléments concrets (animaux, végétaux, etc.) susceptibles de détermination par de + nom, à + nom, adjectif... : rue de l'Arbalète (5e), rue du Pot-de-Fer (5e), rue de la Cerisaie (4e), rue des Cendriers (20e), rue du Chemin-Vert (11e), rue des Acacias (17e), rue des Alouettes (18e); rue aux Ours (3e), impasse du Bœuf (4e).

2.4. Pluriel et singulier, non-humain « abstrait » : place des Victoires (1er, 2e), impasse de la Loi (20e), place de la Concorde (8e).

On remarquera que pour l'ensemble 2, on a utilisé des critères à la fois grammaticaux et notionnels.

3. Dates : place du 18-Juin-40 (6ᵉ), rue du 4-septembre (2ᵉ), rue du 8-Mai-45 (10ᵉ), rue du 11-Novembre-18 (10ᵉ)...

Il est évident qu'une telle grille ne saurait permettre de classer tous les noms de rues, mais elle permet d'établir des groupes homogènes qui serviront de point de départ aux analyses culturelles.

Exploitations en civilisation

Elles peuvent être, comme à l'ordinaire, multiples. Nous n'en ébaucherons, ici, que quelques-unes.

1 *Comparaison*

On fera remarquer aux élèves que certaines catégories de cette typologie sont plus ou moins représentées ou même totalement absentes (mais le phénomène inverse peut se produire) dans les noms de rues de leur pays. Par exemple, il semble que l'emploi de dates pour désigner des rues soit plus courant dans les pays hispanophones.

2 *L'histoire de France*

a) Recenser systématiquement, sur plusieurs villes, les noms des personnalités politiques françaises qui servent à désigner des rues (sous-classes 1.1.1. et 1.1.2.). Les classer suivant les grandes périodes traditionnelles de l'histoire de France (Moyen Age, Renaissance, XVIIᵉ et XVIIIᵉ siècles, 1789-1914, 1914-1939, 1939 à nos jours). Lesquels sont les plus représentés ? Quelle image donnent-ils de la période considérée ?

b) Héros et batailles. Retracer la succession des grandes guerres et des militaires qui s'y sont illustrés. Noter les absences (guerres coloniales ?). Importance de ces dénominations par rapport à l'ensemble ?

3 *La France et l'étranger*

Suivant la nationalité des élèves, relever les noms de rues qui renvoient à des personnalités ou à des lieux de leur pays. Quelle représentation en est-il ainsi donnée ? Quelles sont les personnalités « exportées » ? Comment sont-elles liées à l'histoire commune des deux pays ?

4 *La France et sa « morale politique »*

Faire des relevés systématiques des éléments susceptibles d'entrer dans la catégorie 2.4. De telles collectes mettront en évidence ce qu'on peut considérer comme des grandes vertus nationales qui reflètent ainsi une sorte de système idéologique

IVRY sur-SEINE

(val-de-marne)

Les renseignements concernant cette commune sont indiqués dans les pages bleues, en fin d'ouvrage.

INDEX des RUES

Pour trouver rapidement le début et la fin d'une rue, se reporter au numérotage des principales rues sur le plan de la Commune.

NEUILLY-sur-SEINE
(hauts-de-seine)

Les renseignements concernant cette commune sont indiqués dans les pages bleues, en fin d'ouvrage.

INDEX des RUES

Pour trouver rapidement le début et la fin d'une rue, se reporter au numérotage des principales rues sur le plan de la Commune.

Acacias (villa des)
Alexandre-Bertereaux
Alfred de Musset
Amiral de-Joinville
Amiral Fournier (de l')
Ancelle
Angélique-Vérien
Argenson (bd d')
Argenson (villa d')
Armenonville (d')
Bagatelle (pl. de)
Bagatelle (pte de)
Bagatelle (de)
Bailly
Beffroy (pl. du)
Beffroy
Bellanger
Benjamin-Constant
Berteaux-Dumas
- C 5 Bineau (bd)
Blaise-Pascal
Blaise-Pascal (villa)
Blanche (villa)
Bois de-Boulogne (du)
Borghèse
Borghèse (all.)
Bourdon (bd)
Boutard
Bréteville (av. de)
Casimir-Pinel
Céline (av.)
Centre
Chanton (sq.)
Charcot
Charles-Bernard-Metman
- D 5 Charles de Gaulle (av.)
Charles-Laffitte
Chartran
Chartres (de)
Château (av. du)
Château (bd du)
Château (du)
Chauveau
- C 4 Chézy
Chézy (sq.)
Commandant-Charcot (bd)
Commandant-Claude-Barrès (sq.)
Commandant-Pilot (du)
Courbevoie (bd de)
Courbevoie (pt de)
Dames-Augustines (des)
Delabordère
Deleau
Devès
Ecole-de-Mars (de l')
Edmond-Bloud

C 4 Edouard-Nortier
C 3 Eglise (de l')
D 4 Emile-Bergerat (villa)
E 2 Ernest-Deloison
E 2 Ferme (de la)
D 2 Frédéric-Passy
C 5 Gally (villa)
C 3 Garnier
C 5 Gén.-Cordonnier (du)
C 2 Gén.-Delanne (du)
C 3 Gén.-Gouraud (pl. du)
D 3 Gén.-Henrion-Bertier (du)
D 2 Gén.-Kœnig (bd du)
C 2 Gén.-Lanrezac (du)
B 3 - C 3 Gén.-Leclerc (bd du)
B 4 Grande-Jatte (pont de la)
D 3 Graviers (des)
C 4 Hôtel-de-Ville (pl. de l')
D 4 Hôtel-de-Ville (de l')
D 3 Houssay (imp.)
C 4 Huissiers (des)
C 5 Inkermann (bd d')
D 4 Jacques-Dulud
C 4 Jean Mermoz (bd)
C 5 Jeanne (villa)
E 1 Julien-Potin (bd)
E 2 Léonard-de-Vinci (villa)
B 5 Lesseps (de)
A 4 Levallois (bd de)
B 5 Libération (pl. de la)
B 3 Lieutenant-Boncour
B 5 Lille (de)
D 2 Longchamp (de)
D 2 Longpont (de)
D 4 Louis-Philippe
C 5 Madeleine-Michélis
D 3 Madrid (av.)
E 2 Madrid (pte de)
D 3 Madrid (villa de)
E 5 Maillot (bd)
D 3 Maillot (villa)
D 5 Marché (pl. du)
E 2 M.-de-Lattre-de-Tassigny
A 4 Marine (de la)
C 4 Martin-de-Thézillat
D 3 - D 4 Maurice-Barrès (bd)
D 5 Méquillet (villa)
D 5 Midi (du)
D 5 Montrosier
D 2 Neufchâteau (villa)
C 2 Neuilly (pont de)
D 3 Neuilly (pte de)
E 5 Nordling
D 4 Orléans (d')
D 4 Orléans (pas. d')
B 3 Parc (bd du)

D 2 Parc-Saint-James (av.)
D 5 Parmentier (pl.)
D 5 Parmentier
C 4 Pasteur (villa)
C 3 Paul-Chartrousse
D 5 Paul-Déroulède
C 3 Perronet (av.)
C 4 - C 5 Perronet
E 2 Peupliers (villa des)
C 5 Philippe-Le-Boucher (av.)
C 5 Pierrard
D 5 Pierre-Cherest
D 3 Pierret
C 3 Poissonniers (des)
C 3 Pont (du)
E 1 Puteaux (pont de)
B 4 Puvis-de-Chavannes
D 5 Raymond-Poincaré (pl.)
E 2 Richard-Wallace (bd)
D 4 Rigaud
D 5 Roule (av. du)
D 5 Roule (sq. du)
D 5 Roule (villa du)
C 5 Rouvray (de)
D 4 Sablons (bd des)
E 4 Sablons (pte des)
D 5 Sablons (villa des)
D 5 Sablonville (de)
D 3 Saint-Ferdinand (pas.)
D 2 Saint-James (rd-p.)
D 2 Saint-James
B 5 Saint-Paul
D 4 Saint-Pierre
C 3 Sainte-Foy (av.)
C 4 Sainte Foy (villa)
D 3 Salignac-Fénelon
C 3 - B 4 Saussaye (bd de la)
B 3 Saussaye (de la)
E 1 Seine (pte de la)
C 3 Soyer
C 4 Sylvie
B 3 Terrier (imp.)
C 3 Théophile-Gautier
C 4 Tilleuls (villa des)
D 2 Victor-Daix
B 5 - C 5 Victor-Hugo (bd)
D 3 Victor-Noir
C 6 Villiers (bd de)
B 5 - C 5 Villiers (de)
B 5 Villiers (villa de)
A 4 Vital-Bouhot (bd)
D 2 Windsor
D 4 Winston-Churchill (pl.)
C 3 Ybry

flou et confus, mais dont on peut penser qu'il est fondé sur un consensus assez large. Valeurs intouchables qu'il serait très révélateur de comparer à un relevé du même type effectué à propos du pays de l'élève.

Liste partielle pour Paris (elle est peu fiable parce qu'on a éliminé des éléments comme : départ, département... intuitivement, c'est-à-dire culturellement, considérés comme peu représentatifs) : *Dieu, école, liberté, égalité, fraternité, défense, commerce, concorde, avenir, aide-sociale, fédération, fêtes, gaîté, paix, mutualité, progrès, république, solidarité, trône, union, national, moderne...*

Il serait hasardeux de tirer de cette liste des conclusions. Mais on est bien tenté de lire ce catalogue disparate comme un code de déontologie politique, qui vaut autant par ce qu'il comporte que par ce qui n'y figure pas. Valeurs à promouvoir ou à défendre, par tout gouvernement, quelle que soit sa couleur : l'unité nationale et la république[3].

5 *Clivages culturels*

Les noms de rue relevant de l'autorité des municipalités traduisent souvent des oppositions culturelles. Suivant l'orientation politique de chacune, quand elle est suivie et marquée, on peut ainsi dégager les grands référents idéologiques incarnés par des hommes et leur action, dont les uns et les autres s'autorisent. A titre d'exemple, on comparera la liste des noms de rues de Neuilly-sur-Seine (les beaux quartiers) à celle d'Ivry-sur-Seine (la banlieue « rouge » et ouvrière). On essaiera de faire expliquer ou d'expliquer pourquoi tel ou tel personnage est revendiqué par la droite ou la gauche, en prenant soin de faire remarquer que tous les noms de rue ne répondent pas à des intentions idéologiques. Voici la liste partielle des « grands ancêtres » d'une certaine droite et d'une certaine gauche.

---

3 On se souviendra que, pour l'élaboration du Français fondamental, on a ajouté à la liste de fréquence donnée par l'enquête des items comme : justice, liberté, paix, progrès, vérité (Élaboration du Français fondamental, 1er degré, Didier, 1964, p. 203).

	NEUILLY	IVRY
1 Saints	Ste-Foy Ste-Ferdinand Saint-James Saint-Paul Saint-Pierre	Saint-Just (!!)
2 Écrivains français	A. de-Musset Alain-Fournier Benjamin-Constant Céline Maurice-Barrès Paul-Déroulède Théophile-Gautier *Victor-Hugo...*	Émile-Zola Ernest-Renan Henri-Barbusse J. Bapt.-Clément Rousseau *Victor-Hugo* Voltaire...
3 Militaires	amiraux, généraux, commandants, etc., dont *Maréchal Leclerc,* Charles-de-Gaulle...	*Maréchal Leclerc* Colonel-Fabien Kléber...
4 Hommes politiques	Louis-Philippe R.-Poincaré	Blanqui Carnot Gambetta Jean-Jaurès Jules-Ferry Mirabeau Robespierre Saint-Just
5 Personnalités étrangères	W.-Churchill	Einstein Mozart Volta Galilée J.-Staline Kléber Lénine Leibniz
6 Noms communs « abstraits »		avenir insurrection liberté paix progrès république révolution

Une fois ces relevés complétés, on tentera de faire cerner ces clivages culturels en utilisant, quand cela sera nécessaire, un *Petit Larousse* ou le *Robert* des noms propres qui permettront de faire des hypothèses sur les positions idéologiques de chacun de ces personnages historiques.

Exemple : Déroulède Paul. Écrivain et homme politique français né à Paris (1848-1914), président de la Ligue des Patriotes, auteur des Chants du soldat (*Petit Larousse illustré,* 1976).

Remarquons brièvement ici :

— qu'à Ivry, le seul *saint* qui apparaisse n'a que peu de rapport avec ceux du calendrier ;
— qu'à Ivry, les écrivains choisis ont en commun d'être considérés comme des progressistes (Zola, « J'accuse ») ; à Neuilly, il s'agit, soit des bons auteurs du nationalisme (Déroulède, Barrès) ou très marqués à droite (Céline), soit d'écrivains peu ou pas engagés (Gautier, *L'art pour l'art*) ;
— à Neuilly, de nombreux militaires ; à Ivry, uniquement Kléber (guerres révolutionnaires) et Fabien, dit le Colonel, résistant communiste ;
— références historiques pour Neuilly, la Restauration, la république des notables ; pour Ivry, la révolution de 1789 et la tradition socialiste française ;
— pour Ivry, savants d'audience universelle et les grandes figures de la révolution soviétique ; pour Neuilly, un leader du parti conservateur britannique.

Seules personnalités nationales « au-dessus des partis » : Victor Hugo et le Maréchal Leclerc.

On doutera peut-être de la légitimité de telles démarches ponctuelles pour entrer dans une meilleure connaissance de la culture française. Celles-ci n'excluent d'ailleurs pas des approches plus systématiques auxquelles elles pourront servir d'introduction. Mais des indices primaires comme les noms de rues présentent cet avantage pédagogique qu'ils demandent une interprétation que l'on peut construire avec les élèves. Redonner à ces signes qui jalonnent nos coins de rues leur dimension culturelle, au-delà de leur rôle pragmatique, c'est faire entrer de plain-pied l'apprenant dans la sémiologie des civilisations.

Jean-Claude BEACCO

Documents complémentaires

Napoléon à Roncevaux

Napoléon est mort à Roncevaux
C'est Jeanne d'Arc qui lui a troué la peau
Il mangeait de la poule au pot et des haricots de Soissons
Il avait une barbe fleurie qu'allait de Crécy
Jusqu'à Valmy

Déjà à son premier anniversaire
Il prenait la smala d'Abdel Kader
Avec sa culotte à l'envers il est monté dans un ballon
Pour aller délivrer Verdun de Ravaillac
Le roi des Huns

Napoléon ! Napoléon !

C'est à Versailles dans son H.L.M.
Qu'il rendait la justice sous un chêne
Il invitait les écoliers, aux riches il leur offrait le thé
Et les pauvres il les fusillait
Et ceux qui n'étaient pas volontaires
Il les mettait dans des cages en fer
Forgé oui c'est vrai

Napoléon maria Mata-Hari
Ils n'eurent pas d'enfants pas de soucis
Avec tous ses amis les trois mousquetaires et les six bourgeois
Il faisait des Marne en taxi de Dunkerque à
Tamanrassis

Alors Charles XIV lui a dit :
« Tu n'es qu'un lot de water, je parie
Que tu saurais pas comme moi inventer le Coca Cola
Hiroshima, Félix le chat, la C.I.A. et la Maffia ».

Napoléon ! Na na na na !

Alors Napoléon lui réponda :
« Tout ça ne vaut pas le croupion d'un coq gaulois
Pigalle, l'Opéra, Sheila, Banania, les Chamzéliza
Ralliez-vous à mon pana, ils passeront pas, on les aura
Comme à la Saint-Barthélemy
Oui oui c'est ainsi

Napoléon est mort à Roncevaux
C'est Jeanne d'Arc qui lui a troué la peau
Ce sont des drames conjugaux mais il restera dans le cœur
Des p'tits Français comme un héros le plus grand le
Plus beau, plus bon.

Napoléon ! Napoléon !

Jean-Paul FIRMAN
Chanteur-compositeur-interprète[1]

---

1 Productions F.L.T., 61 avenue Netter - 75012 Paris. Tél. : 345.60.40.

A PARIS : vive le roi !

Etait-ce une réunion de famille ? Un cortège politique ? Ou la *« fête de la France »* ? Un peu des trois. Dimanche 13 mai au matin, à Paris, de la rue Saint-Florentin à la place des Pyramides, près d'un millier de nationalistes ont défilé au pas en l'honneur de Jeanne d'Arc. L'Action française, à qui revient cette initiative devenue traditionnelle, s'était regroupée dès 9 h. 30 rue Saint-Florentin. Répartis en sections par rangées de trois, il y avait là des jeunes gens en cravate et blazer, des jeunes filles sages, puis de vieux militants. Et, enfin, des mères de famille arborant parfois de magnifiques chapeaux. *« La monarchie, c'est l'ordre naturel, les libertés retrouvées »*, criait le vendeur de l'hebdomadaire *Aspects de la France*.

Les militants regroupés devant le ministère de la marine, place de la Concorde, c'était autre chose. En blouson de cuir ou veste de treillis, lunettes fumées, casque de motocycliste à la main, ils piaffaient au nom du Parti des forces nouvelles et du Front national, l'Union française pour l'eurodroite des partis. Un autre monde.

Mais qu'ils soient monarchistes ou non, tous défilèrent de concert, martelant le pavé de la rue de Rivoli, l'air grave et recueilli. Une manifestation silencieuse sous une forêt de drapeaux tricolores. Quelques passants applaudirent le défilé place des Pyramides. Trois fillettes habillées de bleu pâle déposèrent une couronne d'iris et de lys au pied de la statue or de la Pucelle. D'autres couronnes - celles du maire de Paris, du préfet de police, du préfet de région d'Ile-de-France et préfet de Paris, de l'Assemblée nationale, mais aussi celles des cercles féminins royalistes et de l'Amicale des forces féminines — vinrent s'ajouter à la première.

Les militants de l'Action française entonnèrent le chant de la Royale *(...Français, nous voulons une France. Mais, à la France, il faut un roi...)*. Un quarteron de jeunes en gabardine s'époumona à scander *« Action française ! »* sur l'air des lampions. Et l'on cria « *Vive le roi !* ». — L. G.

A Villeneuve-d'Ascq

LE P.C.F. REPROCHE AUX SOCIALISTES D'HONORER LA MÉMOIRE DE LÉON BLUM

(De notre correspondant.)

Lille. — Une municipalité d'union de la gauche peut-elle encore donner le nom de Léon Blum à l'une des places de sa commune ? Ce n'est pas l'avis du parti communiste, qui vient de protester contre l'inauguration, à Villeneuve-d'Ascq, dans la banlieue lilloise, d'une place Léon-Blum par M. François Mitterrand, vendredi 16 mars.

Cette initiative du maire, M. Gérard Caudron (P.S.) et de la majorité socialiste du conseil municipal, est considérée par les communistes comme *« une malhonnêteté à des fins partisanes »*. La section du P.C.F. de Villeneuve-d'Ascq a publié une déclaration dans laquelle elle retrace *« la longue carrière de Léon Bum marquée par la crainte du mouvement populaire »*.

Selon la section du P.C.F. la carrière de Léon Blum *« a symbolisé le refus de s'attaquer à la domination des puissances industrielles et financières et le refus de l'union avec les communistes »*. Les communistes de Villeneuve-d'Ascq voient dans cette inauguration une nouvelle illustration des pratiques de droite du P.S. dans la tradition social-démocrate.

M. Gérard Caudron a répondu vivement à ces affirmations : *« Je dis qu'il est indécent de salir la mémoire de Léon Blum et, à travers lui, des grandes conquêtes ouvrières du Front populaire. Je dis qu'il est indigne de s'en prendre à un homme qui a connu les prisons de Pétain, puis le procès de Riom, avant d'être déporté à Buchenwald. Léon Blum, artisan prestigieux d'un socialisme à visage humain, est entré dans l'histoire de l'humanité. Il porte gravés en lui ses succèc et ses échecs, ses grandeurs comme ses faiblesses. Avec Léon Blum, c'est l'homme et le socialisme que nous voulons mettre à l'honneur »*.

G.S.

Le Monde, 14 mars et 15 mai 1979

NOMS DE PERSONNES

Les patronymes, dans quelque culture que ce soit, ne sont pas seulement des étiquettes pour l'état civil mais révèlent indirectement l'origine régionale ou ethnique ou même la position sociale de ceux qui les portent.

Il suffit d'ouvrir l'annuaire téléphonique d'une grande ville pour être frappé par la diversité des noms propres quant à leur origine linguistique. On se servira ici de ces indices culturels pour amorcer avec les étudiants une réflexion sur la composition de la population française.

Recherche des indices

1 *Sensibilisation*

A partir d'une page d'annuaire téléphonique de leur ville ou de leur région, on invitera les élèves à relever, et éventuellement à classer pays par pays ou groupe de pays, les noms de personnes qui leur paraissent d'origine étrangère. Nous pensons que ces repérages ne devraient pas présenter de grandes difficultés pour des étudiants d'Europe ou de pays de peuplement européen, mais nous ne saurions faire que des hypothèses peu précises en ce qui concerne les pays d'Asie ou d'Afrique dont nous ignorons le système patronymique.

Quoiqu'il en soit de la validité de ces résultats, on demandera aux étudiants d'expliciter les critères qui ont présidé à leurs choix. On leur fera ainsi prendre conscience du fait qu'ils possèdent une compétence culturelle (dont linguistique) de cet ordre et qu'il est probable que des francophones possèdent des représentations linguistiques équivalentes. Il doit rester clair que le fait d'assigner telle origine géographique à tel nom relève moins d'un savoir vérifiable que d'une intuition socio-culturelle partagée.

2 *Patronymes français et compétence culturelle*

On tentera donc de reconstituer les diverses composantes de cette intuition.

Nous avons choisi de retenir comme corpus d'analyse la liste des abonnés au téléphone d'une rue du 9e arrondissement de Paris, d'une part parce que certains quartiers sont déjà habités par des communautés ethniques ou culturelles homogènes (par exemple, les Asiatiques dans le 13e), ce qui aurait pu fausser l'analyse, d'autre part parce que l'annuaire alphabétique présente des listes de noms propres déjà établies sur un critère linguistique arbitraire.

a) Critères phonologiques et orthographiques : Des étudiants possédant une certaine maîtrise de la langue peuvent détecter, à partir de graphèmes isolés ou de séquences de graphèmes (et éventuellement de phonèmes, mais l'oralisation de ces noms est invérifiable), les noms qui leur paraissent d'origine étrangère. A cet effet, un rapide sondage dans un dictionnaire d'usage permettra, par exemple, de relever grossièrement les graphèmes les moins fréquents à l'initiale en français (K, Q, W, X, Y, Z...). En fonction d'une comparaison avec le système graphique de la langue maternelle, on fera apparaître que le français ignore en général le redoublement du graphème voyelle, le redoublement des consonnes à l'initiale et en finale, la présence de K, V et W en finale, les séquences de trois consonnes prononcées en finale ou à l'intérieur des mots, etc.

Il est bien évident que, dans la liste considérée, on ne traitera que les noms de personnes, à l'exception des noms de boutiques, de sociétés, des sigles, etc.

A l'aide des critères explicités ci-dessus, on relèvera ensuite, par exemple :

— Zuccarelli (50)[1], Zemmour (13), Zakovitch (42),
— Buu-Thuong (10),
— Lluis (9),
— Clarck (7),
— Pabst (6), Godlewski (38), Chatounowski (44).

b) Critères culturels : On fera ensuite appel à la capacité de l'étudiant à reconnaître un nom étranger, laquelle, sur certains points, peut être semblable à celle d'un francophone. En France, on a tendance à considérer que :
— les noms qui se terminent par *i, o* et *a* sont originaires de l'Europe du Sud (Espagne, Portugal, Italie, Grèce) : Calcagni (7), Di Dio (7), Garcia (17), Missistrano (10), Da Silva (23) ;
— les noms en *-ian* sont d'origine arménienne : Azarian (8), Borzakian (34), Davlachian (37) ;
— les noms en *-berg -veld, -ald* sont connotés comme germaniques (Europe du Centre et du Nord) : Lanzenberg (10), Groeneveld (12), Klagsbald (22) ;
— les noms en *-ski,* en *-itch* sont d'origine slave : Godlewski (38), Chatounowski (44), Zakovitch (42) ;
— les noms doubles constitués autrement que par les articles *le* ou *la* (La Fontaine) ou la préposition *de* (de Broglie) sont d'origine étrangère : El Tchaikhana (15) s'identifie comme « artiste des Indes » ; Alvarez-Gomez (37), espagnol ; Buu-Thuong (10), sud-est asiatique ; Ben Ibry (19), origine arabe, etc.

1 Le chiffre qui suit le nom est celui du numéro de la rue.

125 BERTHE J conseill référendaire cour comptes.......... 326.
BRICOUT.............. 326.
BRUN Mme G.......... 633.
DENIAU F-X........... 326.
FUNCK P conseil d'entrepr.......... 325.
HUGODOT Mme A........ 326.
LEFORT R commis entrepr bâtim.... 326.
LEHMANN M-D......... 325.
127 BADAIRE A .... 033.
BEIGNET S .... 633.
DEMAREST M........... 325.
DESPEYROUX J-M...... 326.
MATHIEU dir école notariat.... 633.
POMAR 633
PUYBAUDET (C de)..... 326
RACKELBOOM G......... 326.
SANCHEZ M-C........... 326.
SIX J-F .... 633.
TUILLIEZ-BREILLAC... 633.

NOTRE DAME DE LORETTE

(Rue) 9e arrt

1 MIRIETTE STE 87
VERDIER Mme couture............ 878.9
3 ACROPOLE CHAUSSURES....... 878.6.
4 FUVEL Mme A.......... 526.89
GANTS ADRYS gant bonnet............ 878.35
5 NICOLE couture....... 878.4
6 BELLANGER Mlle L.... 526.91
FAUVEL Mr Mme R.... 280.36
GAUFFIER Mme........ 526.
HENNEQUIN M.......... 526.84.
OPTIQUE MEDICALE CLAUDE opticien.. 878.77.
PABST Mlle C.......... 285.
STE DE COMBUSTIBLES..... 878.43.
7 ANTERRIEU D-J......... 285.
BELLEMIN J............. 285.
BELLON entrepr 87
CALCAGNI avoc........ 878.08.
CLARCK................. 878.4
DI DIO journaliste... 526.84.
DUCRUET J-L......... 280.06.
EDIT ART LUTECE...... 878.
GIGANT-PREVOT aut... 878.91.
MARCUS O chir dent . 878.02.
PAROLES STE.......... 878.9
SEBAG M gérant sté.................. 280.
STE SOTRALEC Sté de Travaux Electriques électr gén Ventes.............. 878.64.
8 AZARIAN taill.......... 878.79.
LEPRESTRE archit.... 878.
MEGIE G................ 878.71.
OLIVIER-FILLIETTE... 878.
PELPEL B juriste..... 878.07.
*PRISUNIC LORETTE... 878.08.

STE MONTMARTROISE DE BAZARS.......... 878.97.
—.......................... 878.97.
9 ALLOUCHE kinésithér 878.8
BERMOND Mme G....... 285.43.
BRUNEL Y prof lettres............. 878.54.
CADAS Mme G .... 285.
CARLIER doct.......... 878.79.
CHAUBIT commerc.... 878.80.
COUBRAY J-P ing en marketing .... 280.
DANA (Sté Richard)... 878.32.
DUCHEMIN peintre.... 878.75.
GAUFFIER Mr Mme J-P....... 878.64.
HAVY-DRIEU P .... 878.
LABAT Mme M.......... 280.
LLUIS D................. 285.4
MUEL H.................. 878.29.
PELLERIN Mr Mme.... 280.5
POUZET Mme Vve A... 526.46.
ROSELLO Mr Mme A.. 280.49.
VARLET Mr Mme G... 280.
10 BOUTET ET BAILLY prod pharm........ 526.
BRUNO M............... 878.6
BURGEL R............... 878.60.
BUU-THUONG Mme E... 526.5
CHALEIX M ET A dessinat............ 526.5
*CLUB 18-30....... 285.38.
DESBROSSES Mr Mme A chromeur nickeleur.......... 280.
JACK ET SYLVIE coiff hom dam 878.0
LANZENBERG L......... 878.51
MISSISTRANO H tapis. 526.4

MONTMARTRE VOYAGES ag voya........... 878.57.68
—.......................... 285.38.32

PLANTE A ag immob .. 878.
PRUVOT Mr Mme C... 280.3
REY-VORMUS-BERNOT.............. 526.
— transact............ 526.9
SCIENCE SERVICE ag presse......... 878.07
—........................ 878.6
SNGS adm biens....... 878.65.
TABBAGH E............. 878.58.
TOUS CONTRATS D'ASSURANCES (T.C.A.) ag court. 878.89
—........................ 878.4
TOUS CONTRATS D'ASSURANCES court ag assur.......... 874.9
11 HOTEL DE FRANCE ET D'ALBION........... 874.
12 BRETON H............. 526.
DELAMOUR H ing....... 280.
GAILLARD Y cafet..... 878.9
GROENEVELD Mme E voyante............. 285.4
GUIVARC'H Mme S..... 526.
..KIM-SA................. 878.9
LEBRIS M-A............ 878.11
MOUSSON R aide compt................ 285.12.
ROUCAIROL Mr Mme G 280.3
VERGNAUD J adm tourn théât.. 285.13.
13 BOXBERGER T.......... 280.4
GODINEAU appar contr....... 874.
GOUSSARD A repr..... 878.90.
LUNEL J café.......... 878.1
O.T.A.R. .... 526.88.
OTAR (Sté) .... 878.25.
SIMON R critique music.... 526.
ZEMMOUR Mme G...... 280.1
14 AUTOUR Mme G......... 285.2
BERREGARD G.......... 526.
CEVAER R prof éducation physique........... 280
COLLARD M-M.......... 878.79.
DOSI..................... 878.7
MARCAND P prof...... 878.4
MERCIER M............. 526.92.
MIROITERIE VITRERIE DE LA VICTOIRE STE 878.9
MOREL S................ 526.16.
SABOUDJIAN Mr Mme 878.
SABRINA parf.......... 878.52.
SCHMITZ-MARZOUK J 878.7
STE DE PERCEPTION ET DE DISTRIBUTION DES DROITS DES ARTISTES MUSICIENS EXECUTANTS........ 280.14.
—........................ 280.
STE DE PERCEPTION ET DE DISTRIBUTION DES DROITS DES ARTISTES MUSICIENS EXECUTANTS art music.......... 285.1
*S.PE.DI.D.A.M.E 285.
*—..................... 280.14.
UNAC ERF............... 526.51.
15 CHALHOUB ing.......... 878.59.
COUTURIER Mr Mme P 874.2
EL TCHAIKHANA artis des Indes......... 285.04.
GARNIER conseill jurid fiscal....... 526.5
—........................ 878.4
GAY J 878.5
LACHKAR C .... 526.16.
LISLE (R de) .... 285.
MERELLE Mme L....... 285.0
PETIT M................ 526.9
RENAUDAT-LA GALLA J............. 526.
ROUXEL G .... 526.50.
THIEULEUT R teint.... 878.
16 BARNIER journaliste.. 878.6
CLERVI (Sté) chauss. 285.2
GAVARNI brocante antiqu.............. 878.61.
HANOTEAU J .... 874.
LEDER B................. 878.1
TRIOMPHE M chir dent.................. 878.01.
17 BONAL Mr Mme J..... 285.1
BOURSERONDE caiss compt................ 526.15

GABAY H.................878.
GARCIA J.................280.4.
GILBERTI G...............526.
KAEUFLING M-A...........280.1
LABOUROT M...............878.78.
MANI ag moderne.........526.40.
OURS R avoc...............878
PELLETIER THEVENET
Mme S....................878.
VERDONI Mme..............280.
ZISSLER artiste..........526
18 BIRONNE J................526
BOUVIER R pédic..........824.
CHARDON (L-F de)
ing.......................526
COSSON G ....878.
DRUESNE M.................878
DUMAS de RAULY C.........878.
ECKLY N...................526.
FOSTER P..................280.
FRIZé P ing ....285.
FROGER M..................285.
GAUTIER S.................526.
GESTION FRANÇAISE
CABINET SOULAT
(La)......................285.
—assur conseils...........285.
HUOT secr gén
concerts..................878.
HUOT R....................878.
ISSERLIS Mme J............878.
JAMET Sté.................878.
JAURèS dessinat...........878.
LEONARD P.................878.
LOCHEN Mme et
RAYNAUD...................280.
MAILLOT J.................878
MAUGRAS F ing.............874.
MEISSNER..................874.
PEDUZZI R.................878.
PICANDET Mr Mme B
ing.......................878.
RENI R....................526.
R.E.N.I (Sté Réparations Electro-Mécaniques aux Normes Internationales)...........878.
S.C.I. LORETTE ST
GEORGES...................526
STE GUTNER et THARY
archit....................878.
STE P.I.E.R. (Presse Information Editions Régionales)
édit......................878
—.........................285
STE RENI machines
à laver...................285
STE RENI REPARATIONS ELECTRIQUES AUX NORMES INTERNATIONALES........878.
—.........................285
19 BEN IBRY Mme Mr.........285
BURTON FRANCE fourn
bur informatique..........280
—.........................280
CHANARIN Suzanne..........878.
DOUADY pianiste...........526.
FISCOLI A.................878.
STRUL M...................526.
20 BLUM J-J.................878.
JAMONIERES (A des)........878.
KAHN-PARVIS R.............878.
..LANDREAT L..............526.
QUINZELAIRE...............526.
RIGOT C chir dent.........526.
STE CIVILE IMMOBILIERE DU 20 RUE NOTRE-DAME DE LORETTE...........526.

VALENSIN LEVI G
doct......................878.
21 **HOTEL MODIAL**........878
22 BORY S...................526
BOURGOUGNON-
LEMARIE Y.................878.
GARNIER M conseil
jurid.....................878.
KLAGSBALD expert..........526.
TESTU L
conseil fisc ....878.
VERDIER Mme
centre esthétiq...........280.
23 ARON R taill.............526.
DA SILVA J-P décor........526
ETUDE GRILLERES
(Sté) transac
immob.....................878
FAMILLE ET L'ECOLE
(La)......................878.
PANNOUX B art
chorégraph................277.
PHAM-QUINH-LâM............878.
TRICOT COUTURE
dam sur mesur.............878.
25 JABAUDON M et
AIME J....................878.
STE MOTRA.................277.
32 AUBOUIN F ....526.
33 CANPEYAS S...............280.
DELSOL M tabac............874.
FRéROT A..................526.
KLEIN A...................874.
LEVAILLANT Mr Mme.........526.
PARDO C...................526.
SAPIRA
commerc...................874.
SEGURA (Etabl) équip
électr véhicules..........874.
THIEFFINE O...............874.
34 AXELRAD
secrét trilingue..........526.
BORZAKIAN Y...............526.
BOUTIQ VERTE (La).........878.
CHAUMEIL G et
SACK R....................878.
FAVRE-ROLLAND.............878.
GALLIFET L assist
rédaction.................285.
GENILEAU R................526.
GUNICHON..................878.4
HILLAIRET
repr chaussures...........43.06
LEROY employé banq........76.21
PéRINI-LABBé Mlle G.......81.15
SARROCA-NèGRE
art lyr...................25.59
SFAR STE..................36.57
STEINER vend..............76
35 CASTERAN
démonstratr...............874.
DUTARTE Mme Mr R..........874.
GUICHETEAU prof...........13.80
IMMOBILIERE PARIS
CLAUZEL (Sté)
march biens...............285.
JAPHET H..................526.31
KERN D indust.............69.45
MICHEL D..................54.7
MONSINJON (Mme)...........70.
PATISSERIE
PARISIENNE................878.76.
SOMLO Mme K...............874.
TOURNADE Y................526.85.
36 CHARLEY (Chauss).........878.
HOTEL LORETTE.............878.8
PARIS-FESTIVAL art
cotil.....................878.8
PHILIPPEAU Mme B..........526.8
RAFAELA couture...........878.70.
37 ALVAREZ GOMEZ V..........526.33

ANDRES G..................285
CUVILLIER B...............526.0
DAVLACHIAN K..............874.
DONABEDIAN
Mr Mme H-R................526.
LAFITTE B.................526.29.
LEROI.....................285.02.
LEROI F...................285.04.
LIBRE SERVICE NOTRE
DAME DE LORETTE
lav.......................15.11
LORETTE COIFFURE..........20.05
MARGINIèRE R
ag fabr...................69.
MOUFLE Mr Mme J-P.........68.8
PATANE J..................94.9
ZERILLO J peintre
décor.....................285.3
38 BAUCHARD Mme et Mr
kinésith..................878.96
CRAUNOT C.................280.
DESPRéS G.................878.
GODLEWSKI G pharm.........39.
NODALETTE STE.............74.51
POTIER Mme A..............50.9.
39 DELARBRE chir
dent......................74.08
LE VIZON L doct...........9.11
MAGISTRY G................78.05
MIGNOTTE
Mr et Mme G...............878.01.
POLI E....................874.62.
SALVATOR bottier..........874.20.
SICRE M...................874.87.
40 ASSO Mme Mr B............874.65.
BERNARD-
JOLLET Mme................874.
CALANQUE (La)
rest......................526. 49
CHAMPEAU Mr Mme...........280. 43
DEFFEYES R
ch fabric.................878.51
INFANTINO taill...........874. 36
MAUGE Carmen..............874. 51
NETOMATIQUE STE
pressing..................874.
PESLE M électro
mécanicien................874. .98
REGNAULT Y................874 .12
SASSON R..................280.
STEINBERG N...............874. .08
THARY P...................874.
VADON A...................878. .11
VERGEYLEN R exp
compt.....................92.55
41 ADILA commerc tiss.......21.
AUBERGES DE
JEUNESSE..................874.63.
CARRASSET
conseil jurid.............874
COMBIER J.................526.03
DERY E....................280.
FEDERATION UNIE DES AUBERGES DE JEUNESSE..................874. .58
FEDERATION UNIE DES AUBERGES DE JEUNESSE ASS INTER-DEPARTEMENTALE DE LA REGION PARISIENNE.....874. 46
GABELOTAUD Mlle...........285.
HERLEM L..................280. .27
KAHN-HERTZ A représ
indust textile............37.97
LUTRAN Mme M..............36.63
ROUXEL Mlle...............36.78
42 BERNARD Mme
expert assur..............874.82.
CUINET G..................526.39.
LEFORT
LAVAUZELLE S..............744. .01
LIEN BRISES (Les).........526. .44

SCHNEIDER Mme H.... 280.
SMADJA .... 874.
STE LEVERDIER
café bar.......... .35.66
WACHTEL Mme F....... .60.71
44 BOUé ing.............. .93.29
BRASSERIE-ST
GEORGES rest bar. 874.
CABINET-ROBERT
DUHAMEL S.A
courtage assur... 280.3
CHATOUNOVSKI V...... 874.
DARRAS et MAURY STE 874. .21
GABETTI G.............. 526. 04
GARAGNANI F et Mme 526.
GUECHI L.............. 17.2
LABORATOIRE C.C.D... .05.1
LABORATOIRE CENTRAL
DE COSMETIQUE ET
DIETETIQUE......... .40.9
MEIZIERE D............ .34.74
PIERMATTI.............. .48.
—.................. .82.6
SCHMITT maquett
publ.................. 874.0
***TORINO**
DETECTIVE .... 874.
TOURNADRE C caiss.. 526.
ZERILLO maçon
plâtr................ .23.99
45 BORNET J-P doct
vétérin.............. 874.
BOURGOIN Mme M...... 526. 74
DéJARDIN Mme J...... 285.
MESLIER G ag
commerc........... .26.
PAMBOUKDJIAN K...... .63.6
SEGURA A.............. .00.
SIMONE (de)........... .06.99
TASKOS H fourr........ 40.
46 HOTELIèRE ST GEORGES
STE................. 874.0
STE HOTELIERE ST
GEORGES hotel..... 874.
TZIGANE (Le)
bar rest............ 280.35.
47 BARTHOLONI D.......... 526.15.
BERIAU J.............. 874.50.
CHENEAU A............. 526.06.
CHEVALLIER M
et Mme............. 526. .58
GALIèGUE F tapiss... 526. 16
GARDE G.............. 526. .08
GINOT (Baronne)...... 874. .07
JOURDE P............. 285. 30
LEFAUCHEUR N........ 280.
MAI THANH rest....... 526.64.
NOLEO Mme........... 280.20.
RENERTE Mr Mme R
music............... 43.03
SAPORTA L couture... 02.57
VOLSTEIN M doct méd 96.40
48 AMA-FRANCE SARL
filtres............. .25.13
—.................. .55.4
ARCHER................ .46.
BAICHIAN A essayeuse
retoucheuse....... 526.38.
BOUQUET A commerc 526.70.
CHEVALLIER B......... 874.20.
DOUX G................ 874.12.
ETIENNE G............ 526.
EXEHIAN K............. 874.23.
HASSID N bijout horl. 874
HENIMANN M........... 526.09.
LEMELLE G............ 280.15.
LISTEK................ .87
MESSA J.............. 874.36.
MICHEL E............. .87
MORI S................ 526.04.
PORHO M............. 874.
SIMONE (de)
entrepr............. 526.

T.E.D.................. 878.25.
VALLEE M dépan
télév.............. 874. .95
49 ALZIEU A.............. 285. 86
CHAPELLE compt agr 874. .18
DUBOIS................ 878.
HULOT Mr Mme B........ .33.03
LE ROY Mme J........ 526. .25
MAIRE A.............. 874. .92
O.P.S. INTERIM........ 874.
—.................. 874.97.
—.................. 526.
—.................. 874. .08
RAUD S reprod
héliographiques.. .36.48
50 AUTHIER R serrur.... .0.53
BOGUSLAWSKI Mme R
commerc.......... 526. .78
DAOUI A................ 280
DUBERNET H-J
cabinet archit.... 526.24.
—..................
—.................. 874.39
LE BOURGEOIS ET CIE
publ............... 526.
MALAISE-HéNIMANN
Mme................. .47.29
..MOREAU H............. .27.07
PELTA J................ .06.
..PERRAMOND
Francine........... 874.1
PICHON R.............. 285.
RUFFIN Mme J......... 874.8
SIMON C............... 874.
TONKEUL I............. 280.30.
ZUCCARELLI............. .36.
51 BOUNIOL L............. 874.12.
CAVERZAN T............ 874.78.
COLLET H.............. .34.
CREMER................ 27.24
JURBLUM B
doct méd........ .33.37
KAMGAING.............. .06.80
KOREA S.K office..... .22.01
LARMET C.............. .32.62
LEMOINE J-C doct
méd................ 874. 50
MARTINOT A............ 874. 51
MONSARRAT J-C....... 285. 64
NITZSCHé.............. 526. 00
TARDIEU R............. 874.
52 BOUKHOBZA K
artis taill.......... 874.
CLEMANCEAU R......... 874.
DUSSEAULX fourreur 526.
GABAI S mica brut..... .13
HAIR LORETTE coiff... 07.64
LEFèVRE P décor..... 28.50
MARTIGNAC J-C....... 93.
53 BEAU A................ 526.33.
GALOIN Mr Mme Y..... 874
LéVI J................. 874.37
MASS Mme E........... 874.45.
SANTE DU FIN
GOURMET (La)...... 874. .86
SCHONVALD J-P........ 874. .39
TOGNET S
esthétic........... 874. .30
54 BOISSELIER Maurice
(Ets) sté fabriq
—.................. .38.10

8371369
COMONT L.............. 526. 15
JAEGGI D............. 874. 21

LAMBERT Mr Mme J.. 285. 80
..LEVY M psychan.... 874. .09
MATHIEU P-L.......... 874. .61
MESRAY R ing........ 526. .03
MOCHI M taill......... 874. 50
REMINISCENCES
antiq bij.......... .53.15
STAMPFLI art
peintre............ .00.
TARDIEU............... .16.93
VAINER cab immob.... .11.21
55 LOGAMAT STE
mécanogr.......... 285.09.
—.................. 874.40.
***LOCAMAT S.A.**
machines à écrire
et à calculer..... .09.
56 CLERC P.............. .04.74
DEMANOFF E........... .64.04
FRANCE CARBONNE .... .36.
FRANCE CARBONE
articl bureaux... 878. .48
GAUTIER P............ 280.
GIANOTTI.............. 874. .55
ISTRIA Mme M-J....... 526. .55
LEIBOVITCH R
photo.............. 874.1
MEDELGI J............. 874.21.
ORPHEE bar........... 874.
ROUBAUD Mme S....... 526.74.
SARTOURETTI
Mr Mme............. 280.
TONDU M.............. 526.
VASCONCELOS M....... 280.
ZAVARO Mme S........ 874.11.
57 ASTOLFI Mr Mme...... 874.9
CANTEGREL P.......... 874.35.
FICHELLE infirm...... 874.28.
FOUGEARD café....... 874.10.
JANNIèRE I............ 526.2
LACROIX P charc..... 874.5
SOFAC colles
synthétiq.......... 508.89.
WEYLAND B............ 280.
58 COUSIN................ 526.3
CROS F................ 874.22.
DELEAGE labor photo 280.
FAUNIERES D (report
photo)............. 09.
LABORATOIRE
DELEAGE........... .42.13
LEGOUSSE Mr Mme J.. .32.88
LICORNE S.A.R.L.(la) 30.03
—.................. 64.
MARCHANDON
Germaine.......... 874. .67
MAYS'SUN............. .17
S.D.C. Diffusion par
Correspondance.. 874. 72
59 BOUTARIC alim......... .36
60 ABBOU................ 874. .22
AFFAGARD R........... 526.
BARON C.............. 280. 45
CECCALDI X doct...... 874. .53
CHAIGNON (M de)...... 874.
DIFFUSION SERVICE
2000 .... 280.
FRESNAIS M archit... .85.14
GUICHARD F........... .23.55
MEYLAN R............. .88.92
WANG P............... 285.
62 BAUCIA FRERES........ 874.46.
GUILBERT Mr et Mme
nourrice agrée. 280.
KNYR Mr Mme......... 526.54.
LAETITIA (Sté) café .. 874.36
LANGLOIS G.......... 285.21
MERVAL............... 280.
64 CAYRON Mme Vve
café................ 526.
CLAYER boulang...... 874.46.
VOISIN D droguiste... 874.30.

c) Pour vérification on utilisera un dictionnaire des patronymes français[2] qui permettra d'exclure de la liste ainsi constituée les noms bretons (Guivarc'h, 12), basques, corses, alsaciens, etc.

Cette compétence culturelle que chacun possède dans sa langue, est celle que l'on utilise aussi parfois à des fins de production : création de noms étrangers pour des personnages de romans, de films et, également, de bandes dessinées : La Castafiore *(Tintin et Milou),* Vanendfaillevesix *(Astérix chez les Belges),* Mac Anoterapix *(Astérix chez les Bretons),* ainsi que de noms parodiques : Yamamoto Kadératé, Skaslagueulenski (à oraliser).

Exploitation en civilisation : mouvements migratoires

Ces indices quantitatifs peuvent donner lieu à une réflexion collective où l'on s'efforcera de dégager les mouvements d'immigration en France depuis le début du siècle. Cette analyse portera sur les points suivants :

— hypothèses sur les pays d'origine : Pologne, Italie, Belgique, Viet-Nâm, etc. ;
— hypothèses sur les causes de l'immigration : raisons politiques et religieuses : répression ou exil (Républicains espagnols, Russes hostiles au régime soviétique, massacre des Arméniens, réfugiés vietnamiens) ;
— raisons économiques : déficit démographique en France après 14-18 et industrialisation (Pologne, Italie, Espagne, Portugal, Maghreb).

Ces données sont partielles et ne portent que sur les abonnés au téléphone ce qui, en France, reste encore un signe d'appartenance aux classes moyennes ou supérieures. De plus, on ignore si les personnes qui portent un nom étranger constituent la première génération d'immigrants, sont naturalisés ou non, installés temporairement ou définitivement en France.

De tels indices primaires ne permettent évidemment pas une mise en perspective historique. Les conclusions qu'on peut en tirer risquent donc d'être très fragmentaires et impliquent l'apport d'informations de synthèse supplémentaires, chronologiques ou quantitatives[3].

Un travail de ce genre peut se poursuivre par différentes études : situation actuelle des étrangers en France[4], problèmes socio-économiques et politiques (travailleurs migrants, extradition), les Français à l'étranger et, en particulier dans le pays de l'élève, problèmes juridiques de naturalisation.

---

2 Par exemple : A. Dauzat : *Dictionnaire étymologique des noms de famille et prénoms de France,* Larousse, 1962.

3 Cf. par exemple documents pp. 105 et 108 : R. Mandrou, « Les étrangers en France » in *La France et les Français,* La Pléiade, Gallimard, 1972 ; « Près d'un demi-million d'Espagnols en France ». *Le Monde,* 29 mai 1979.

4 Cf. I.N.S.E.E. tableau 32 p. 107.

Les étrangers en France : l'appel de main-d'œuvre

Quantitativement, l'immigration d'élection (politique, intellectuelle et artistique) est peu de chose face à l'afflux massif de travailleurs manuels qui, depuis un siècle, fournit à la France la main-d'œuvre dont elle a besoin : sans tenir compte de l'immigration temporaire (plus d'un million de personnes) qui a été accueillie pendant la Première Guerre mondiale, il faut chiffrer cet afflux à plusieurs dizaines de milliers d'hommes par an pendant la seconde moitié du XIXe siècle (entre quarante et cinquante mille) ; il oscille entre cent et trois cent mille pendant les quarante premières années du XXe siècle, entre cinquante et cent mille depuis la Libération (...).
C'est, avec la première révolution industrielle, à partir de 1850, que commence l'immigration massive de main-d'œuvre non qualifiée ; elle s'organise peu à peu ; au début du XXe siècle, des associations d'employeurs (agriculteurs du Nord-Est, Houillères du Nord, etc.) assurent elles-mêmes le recrutement selon leurs besoins en Pologne et en Italie. Après la guerre de 1914-1918, les gouvernements traitent eux-mêmes avec les pays « exportateurs », Italie, Belgique, Pologne, Tchécoslovaquie ; après la Seconde Guerre mondiale, c'est le ministère du Travail et le Commissariat général au Plan qui réglementent ces mouvements. Cependant une immigration clandestine parallèle n'a cessé de jouer à côté des entrées contrôlées : les trafics portugais de ces dernières années en ont donné une illustration dramatique.
D'une façon générale, cette main-d'œuvre plutôt miséreuse, attirée par des salaires plus élevés que ceux pratiqués dans son pays, sans qualification précise, vient occuper des emplois délaissés par les Français : c'est évident en agriculture, où Belges et Polonais sont employés comme ouvriers agricoles dans les régions de grande exploitation du Bassin parisien et du Nord. Une partie de la main-d'œuvre pratique la migration saisonnière, se déplaçant vers le sud pour le binage et la récolte des betteraves sucrières notamment. Les Polonais venus de Galicie, installés dans l'Aisne et le Nord avant la guerre, constituent de petits groupes fixés sur des domaines, soumis à de très dures conditions de travail ; malmenés par leurs employeurs, victimes de l'invasion allemande, beaucoup se sont disséminés ensuite à travers le pays. Par contre, les quelques milliers d'Italiens transférés dans le Sud-Ouest, le Lot-et-Garonne en particulier, distribués dans de petites exploitations de faire-valoir direct où la polyculture était restée de règle, se sont plus aisément intégrés, réussissant peu à peu à acquérir quelques pièces de terre et à se fondre dans le reste de la population.
Mais les apports les plus importants, le gros des deux millions d'entrées de 1920 à 1935, concernent évidemment les secteurs industriels déficitaires, c'est-à-dire, les mines de fer et de charbon et la métallurgie lourde (mis à part les forts apports de juifs d'Europe centrale, au début du siècle, dans la confection, à Paris). Les Polonais dans le Nord, la région stéphanoise et en Lorraine ont constitué de véritables « colonies », installées le plus souvent dans des « cités » autonomes avec leurs écoles, leurs commerçants, leurs paroisses, leurs journaux même. Mineurs de fond, métallurgistes, ils le sont surtout devenus, sur le tas, sans formation professionnelle très poussée ; à Roche-la-Molière comme à Anzin et à Longwy, ils ont constitué, dans l'entre-deux-guerres, une ressource vitale pour les compagnies houillères et pour la métallurgie lorraine. En 1945-1947, le gouvernement polonais, pour assurer l'exploitation des mines de Haute-Silésie, a rapatrié la plus grande partie de ceux qui avaient échappé aux persécutions de l'occupation allemande.

Les Italiens et les Espagnols appelés dans le Nord, la Lorraine et différents bassins houillers et métallurgiques du Massif central, n'ont pas connu le même sort ; installés également, à l'arrivée, dans des quartiers ou des cités qui leur étaient réservés, ils se sont assez rapidement fondus dans le reste de la population malgré la propagande du gouvernement mussolinien en faveur de la fidélité à l'« italianité ». Beaucoup d'ailleurs ont peu à peu quitté les mines et les fonderies pour adopter des métiers et genres de vie moins durs, petit commerce, bâtiment, textile, retrouvant, par jeu de relations multiples, d'autres groupes de leurs compatriotes immigrés dans le Sud-Est notamment, pour exercer les métiers du bâtiment (peinture, carrelage) où ils se créent rapidement des situations indépendantes, voire dominantes.

Aussi bien, depuis la Seconde Guerre mondiale, un nouveau relais s'est institué : Italiens et Polonais ont été remplacés par les Nord-Africains : Algériens considérés comme Français jusqu'en 1962 et traités en étrangers pratiquement comme les Marocains et les Tunisiens. Déjà dans l'entre-deux-guerres, l'immigration algérienne avait pris place, à côté des Italiens et des Polonais, dans les grands centres industriels et dans la région parisienne. Après 1945, ils y ont massivement peuplé les bidonvilles et cités d'urgence. Moins nombreux depuis l'accession des trois pays d'Afrique du Nord à l'indépendance, ces travailleurs nord-africains forment encore des groupes importants dans la région parisienne, le Nord, la Lorraine et l'agglomération marseillaise ; ils sont rejoints maintenant par les Portugais qui passent clandestinement les frontières et constituent le dernier et pitoyable avatar de cette immigration de la misère vers ces grands centres de la France industrielle, nouvelle strate dans la longue accumulation de la main-d'œuvre étrangère (...).

Dans l'ensemble, la société française fonctionne comme un bon *melting pot* très assimilateur à l'égard de toutes les nationalités. Les lois qui règlent la naturalisation de ces étrangers sanctionnent d'ailleurs fort clairement cette volonté d'assimilation : d'une part, les enfants nés sur le sol français de parents étrangers deviennent français sur simple déclaration à leur majorité, ce qui implique la naturalisation presque automatique, à la seconde génération, pour l'ensemble de ces résidents (mesure inséparable de l'obligation de scolarité qui leur est appliquée depuis 1936); d'autre part, un décret individuel de naturalisation peut être obtenu, sans grandes difficultés, après cinq ans de séjour au minimum, à la suite d'une enquête de moralité et de santé. Des dispositions mineures concernant les mariages mixtes et les adoptions complètent ces deux mécanismes fondamentaux, qui assurent légalement cette assimilation. Les démographes évaluent à cinq millions le nombre des Français d'origine étrangère intégrés de la sorte depuis un siècle : soit le dixième de la population totale. Devenus français à part entière, ces cinq millions d'assimilés démontrent, dans la longue durée, le fonctionnement régulier de cette législation et la capacité d'accueil de la société française.

Robert MANDROU
La France et les Français,
Pléiade, 1972

BLEAU 32

s étrangers [1] dans la population totale de la France, on leur nationalité et leur activité, d'après le recensement de 1975

	Ensemble	Actifs	Proportion d'actifs	Inactifs
aliens	462 940	199 235	43,0	263 705
utres ressortissants de la CEE	141 010	62 125	44,1	78 885
spagnols	497 480	203 990	41,0	293 490
ortugais	758 925	360 730	47,5	398 195
lgériens	710 690	331 090	46,6	379 600
arocains	260 025	152 255	58,6	107 770
unisiens	139 735	72 980	52,2	66 755
utres nationalités d'Afrique	81 850	43 735	53,4	38 115
utres nationalités	389 760	158 200	40,6	231 560
Ensemble des étrangers	**3 442 415**	**1 584 340**	**46,0**	**1 858 075**
dont : Arrivés depuis 1968 [2]	*1 137 450*	*559 280*	*49,2*	*578 170*
ançais	49 157 015	20 190 520	41,1	28 966 495
opulation totale	52 599 430	21 774 860	41,4	30 824 570

1. Ces chiffres ne comprennent pas les personnes ayant acquis la nationalité française par naturalisation, mariage, adoption,...
2. Les enfants nés depuis 1968 ont reçu comme résidence fictive celle de leur mère à cette même date, ce qui assure la comparabilité la structure actifs/inactifs entre immigrés récents et immigrés plus anciens.

Source : INSEE; recensement de la population de 1975.

nées sociales, Ménages. INSEE, 1978.

Près d'un demi-million d'Espagno

Les Espagnols résidant en France sont près d'un demi-million (quatre-cent quatre-vingt-six mille deux cent quatre-vingt-dix-neuf au début de 1978, dernier chiffre connu). La moitié d'entre eux environ étaient des femmes et des enfants. Les actifs se répartissaient comme suit selon les dernières statistiques disponibles (ministère du travail, octobre 1976) : 12,4 % de manœuvres, 29,9 % d'O.S. (ouvriers spécialisés), 43 % d'ouvriers qualifiés, soit un total de 85,3 % d'ouvriers, et 10,3 % d'employés, 3,1 % d'agents de maîtrise et techniciens, 1,2 % de cadres.

Depuis dix ans, cette communauté a diminué progressivement : les Espagnols de France étaient au nombre de six cent seize mille cent vingt-neuf au 31 décembre 1968. C'est pourtant l'une des immigrations les plus anciennes avec les Polonais, les Italiens et les Nord-Africains. Elle fut longtemps caractérisée par l'importance du nombre de réfugiés politiques : trois cent mille entre 1936 et 1939 et près de deux cent mille à l'issue de la guerre civile et dans les années qui suivirent.

C'est tout naturellement qu'un grand nombre de ces réfugiés, qui avaient souvent combattu dans les rangs républicains, prirent place aux côtés de la Résistance française, d'autant que le régime de Vichy ne leur laissait d'autre alternative que la déportation. Au début fortement politisés, ils considérèrent longtemps la France comme un refuge provisoire en attendant la chute du régime franquiste. Ils ont tissé des liens privilégiés avec la gauche française, notamment avec le P.C.F. et, surtout, la C.G.T., dont le journal en langue espagnole fut tour à tour toléré et interdit. Puis, leurs espoirs s'amenuisant, ces familles d'exilés se sont progressivement intégrées à la population française. Au 31 décembre 1977, le nombre des Espagnols recensés en tant que réfugiés politiques n'était plus que de vingt-six mille neuf cent trois.

Entre-temps, il est vrai, la nature de la communauté espagnole en France s'est profondément modifiée. Entre 1950 et 1960, Madrid a favorisé l'exode des travailleurs migrants, le rythme des sorties atteignant soixante mille par an. Un accord de main-d'œuvre fut signé en 1961 avec la France. Les causes de départ ne sont plus politiques, mais socio-économiques : manque de travail ; recherche d'un meilleur niveau de vie ; espoir d'une promotion sociale au retour. Du coup, le séjour en France retrouve un caractère souvent provisoire. On assiste en même temps à une certaine dépolitisation de cette nouvelle immigration, si l'on excepte trois périodes : les deux premières en 1958 (grève des transports à Barcelone) et en 1962 (grève des mineurs des Asturies), et la troisième en mai 1968, où l'on vit beaucoup d'ouvriers espagnols participer aux grèves, notamment au sein des commissions ouvrières, copiées sur le modèle ibérique. La même année, la crise du P.C. espagnol, les prises de position du secrétaire général de ce parti, M. Carrillo, condamnant l'intervention soviétique en Tchécoslovaquie et se rendant à Pékin, ont modifié les rapports entre les communistes espagnols et le P.C.F. Le meeting à Montreuil avec la Pasionaria, le 20 juin 1971, avait marqué un pas en direction de M. Carrillo. Mais la tension croissante entre le P.C.E. et le P.C.F. a quelque peu diminué l'audience de ce dernier parmi les travailleurs espagnols affiliés à la C.G.T.

Parents pauvres de l'Europe

La mort de Franco et les bouleversements politiques qui s'ensuivirent n'ont pas eu d'effet immédiat sur la situation des immigrés espagnols en France. Cependant, le 9 mai 1978, M. Lionel Stoléru, secrétaire d'Etat auprès du ministre du travail et de la participation, rencontrait le ministre espagnol du travail, M. Calvo Ortega, et signait un accord garantissant les droits réciproques des citoyens espagnols et français en matière d'immigration. Ce texte permet à la famille d'un migrant espagnol d'accéder au marché français du travail, en dépit des restrictions apportées l'an dernier dans ce domaine. En fait, il étend à l'Espagne les dispositions de l'ac-

en France

cord franco-portugais signé le 7 février 1976, qui abrogeait déjà exceptionnellement l'interdiction du droit au travail pour les familles d'immigrants. Un conjoint ou un enfant de plus de dix-huit ans venant rejoindre en France le chef d'une famille espagnole peuvent désormais obtenir une carte de travail. D'autre part, quelque dix mille Espagnols ont demandé l'aide au retour accordée aux immigrés et à leurs familles qui désirent regagner leur patrie : conséquence sans doute, de la libéralisation du régime de Madrid.

Lors de la signature de cet accord, M. Stoléru avait rappelé, comme l'a fait plus récemment M. Valéry Giscard d'Estaing, l'importance que le gouvernement français attache à l'adhésion prochaine de l'Espagne à la C.E.E. Il avait souligné que la France était prête, dans le cadre de discussions bilatérales, à aménager l'accord de main-d'œuvre de 1961 pour aller le plus possible dans le sens du mémorandum présenté en janvier 1978 par le gouvernement espagnol à la Commission européenne. Les Espagnols devraient bénéficier de la plus large égalité avec les ressortissants des pays membres, par le biais d'un accord transitoire, jusqu'au moment de l'application effective des dispositions communautaires en matière de libre circulation des travailleurs. Le traité de Rome, en son article 7, pose, en effet, le principe de l'abolition de toutes discriminations fondées sur la nationalité dans les domaines de l'emploi et de la rémunération, et affirme le droit pour les travailleurs communautaires de se déplacer librement à l'intérieur des frontières européennes pour y exercer une activité salariée.

Ainsi les immigrés espagnols, à l'instar des immigrés italiens, deviendront-ils des travailleurs européens à part entière. Du moins en théorie. Car dans la pratique, de nombreuses lacunes subsistent, et l'égalité est encore loin d'être établie, notamment dans les conditions d'embauche, la nature du travail et les conditions du logement, où les immigrés italiens sont encore traités comme des parents pauvres de l'Europe.

J. B.

Le Monde, *29 mai 1979.*

UN PEU PLUS DE QUATRE MILLIONS D'ÉTRANGERS VIVENT EN FRANCE

Un peu plus de quatre millions d'immigrés vivent actuellement en France.

Selon les évaluations les plus récentes du ministère de l'intérieur, on compte notamment : 880 000 Portugais (dont 360 000 travailleurs) ; 830 000 Algériens (dont 335 000 travailleurs), 528 000 Italiens (dont 200 000 travailleurs); 486 000 Espagnols (dont 203 000 travailleurs), 376 000 Marocains (dont 152 000 travailleurs), 176 150 Tunisiens (dont 73 000 travailleurs), 80 500 Turcs (dont 31 000 travailleurs), 80 000 Polonais (dont 22 800 travailleurs) ; 77 000 Yougoslaves (dont 42 000 travailleurs) ; 65 000 Belges (dont 20 000 travailleurs), 58 % des étrangers sont regroupés dans trois régions : la région parisienne (environ 36 %), Rhône-Alpes (13 %) et Provence-Côte-d'Azur (un peu plus de 9 %).

Le Monde, *15 mai 1979.*

QUELQUES ADRESSES

Les réflexions et les pratiques qu'on a pu lire se fondent toutes délibérément sur des documents authentiques écrits. Elles peuvent donner lieu à la constitution de dossiers thématiques organisés dont certains sont ébauchés ici mais ce n'est pas leur objet : les documents retenus ont été traités isolément parce que chacun d'entre eux exemplifie une démarche de lecture des civilisations qui est reproductible sur d'autres textes. L'objectif de ces analyses est bien méthodologique et non documentaire.

Nous sommes toutefois conscients des obstacles réels auxquels sont affrontés les enseignants de français à l'étranger quand ils veulent se procurer des matériaux *bruts* à jour et aussi diversifiés que possible. De telles difficultés ne doivent pas paralyser un enseignant par trop consciencieux qui désirerait appliquer ces démarches mais hésite à le faire faute de supports adéquats. Tout n'est pas possible, mais rappelons tout simplement qu'il existe souvent sur place des organismes où de tels documents sont parfois disponibles (Instituts français, bureaux pédagogiques, bibliothèques et, pour les privilégiés, le kiosque à journaux du coin de la rue...), et que tout séjour en France représente l'occasion idéale de se constituer ou de mettre à jour sa propre « banque » d'articles, d'enregistrements et de photos. Sans doute, les documents de civilisation se périment-ils mais il y a l'actualité et la longue durée. La conjoncture politique ou la mode vestimentaire évoluent rapidement, mais les mentalités ont un autre rythme. Quand bien même on ne disposerait pas du *dernier* document significatif, il est préférable de travailler avec un support authentique vieux de cinq ans qu'avec un manuel de civilisation deux fois plus ancien et qui, de surcroît, propose un savoir culturel préconstruit et de seconde main.

Il demeure cependant indispensable de connaître quelques centres, quelques usuels, quelques périodiques spécialisés qui pourront aider le professeur de langue à la recherche d'un document précis. On mentionnera ci-après quelques adresses essentielles extraites de : *Civilisation contemporaine et vie quotidienne* (liste établie par Françoise de Charnacé, B.E.L.C., 1978, 19 pages).

Organismes et centres de documentation

1 *Généraux*

— **Documentation française :** 31 quai Voltaire, 75340 PARIS CEDEX 07. Tél. : 261.50.10.
Bibliothèque. Dépouillement de périodiques français et étrangers (dossiers). Diathèque, Photothèque.
Édite :
- *DF Actualités* (mensuel).
- *Cahiers français* (8 n^{os} par an).
- *Documentation photographique.*
- *Notes et études documentaires.*

Études approfondies des principaux problèmes politiques, économiques et sociaux qui se posent en France. Textes des documents officiels les plus importants.

— **Le Monde :** 5 rue des Italiens, 75427 PARIS CEDEX 09. Tél. : 246.72.23.
Service de documentation (donne par écrit la référence des principaux articles du Monde sur un sujet). Fichier alphabétique de « mots matière » de tous les articles du *Monde* et personnes citées depuis 1945. Dossiers de presse.

Publie :
- *Dossiers et documents du Monde* (mensuel).
- *Le Monde de l'Éducation.*

2 *Spécialisés*

— **S.O.D.E.C. :** 1 rue Léon-Journault 92310 SÈVRES. Tél. : 534.75.-27.
Met à la disposition des enseignants des documents bruts extraits de la presse française (quotidienne ou hebdomadaire, nationale ou régionale) ainsi que des références bibliographiques.

— **B.E.L.C.** - service de documentation : 9 rue Lhomond 75005 PARIS. Tél. : 707.42.73.
Dossiers de civilisation (coupures de presse) sur les principaux aspects de la vie quotidienne française (le service n'établit pas de bibliographies de civilisation).

Quelques usuels

— *Quid,* par D. et M. Frémy, Laffont, réédition chaque année.
— *Données sociales* (publication annuelle de l'I.N.S.E.E., Institut National de la Statistique et des Études Économiques), 29 quai Branly 75007 PARIS, dernière édition 1979.
— *Journal de l'Année,* Larousse.
Rassemble des données précises sur tous les événements politiques, socio-économiques, artistiques, religieux, quotidiens en France et dans le monde.

Périodiques ou collections de brochures thématiques

— *Pourquoi :* Ligue française de l'enseignement, 3 rue Récamier 75341 PARIS CEDEX 07. Tél. : 544.38.71.
Revue d'éducation permanente pour éducateurs. Aborde des thèmes civiques, économiques, sociaux, culturels. Chronique des loisirs éducatifs. Exemples de numéros spéciaux : mai 1975 : la femme — n° 123 : Beaubourg — n° 127 (1977) : l'écologie, n° 131 (1978) : les jeunes et le chômage.

— *Autrement :* 120 bd Saint-Germain 75280 PARIS CEDEX 06 (vente à l'exemplaire). Ex : « Jeunesses en ruptures : dupes ou prophètes ? », « Finie, la famille ? ».

— *Record-dossier :* Bayard Presse, 3 rue Bayard 75008 PARIS.
Fascicules de 35 p., abondamment illustrés en couleur, destinés à l'information des élèves de 13 à 17 ans. Sujets très variés intéressant les jeunes (vie civique, loisirs, problèmes sociaux, etc.).
Ex. : La Chanson française, l'Image, la Commune, le Maire et les habitants, l'Humour, l'Énergie nucléaire, etc.

— *Textes et Documents pour la classe,* C.N.D.P., 29 rue d'Ulm 75005 PARIS. Tél. : 328.21.64 - B.P. 365.11, 75526 PARIS CEDEX 11.
Bimensuel. Périodique destiné à l'enseignement français. Offre dans chaque livraison deux dossiers rassemblant textes de natures très diverses, documents chiffrés, images, etc., sur des sujets scientifiques, géographiques, littéraires, sociologiques.
Ex. : les commerçants : n° 187 / 5.05.77 ; les paysans : n° 186 / 8.04.76 ; les routes : n° 179 / 13.01.77 ; table décennale : n° 189 / 2.06.77.

Consulter enfin :

— *Guide documentaire à l'intention des professeurs de français à l'étranger,* sous la direction de l'AUPELF. La documentation française.

Imprimé en France — IMPRIMERIE HÉRISSEY, Évreux (Eure) - N° 27861
Dépôt légal N° 3050-5-1981 - Collection N° 90 - Édition N° 01

15/4618/3